Gabriele Kopp, Josef Alberti, Siegfried Büttner

PLANET

PLUS

A1.1

DEUTSCH FÜR
JUGENDLICHE
Arbeitsbuch

Hueber Verlag

Art. 530_14593_001_02

4.   3.   2. | Die letzten Ziffern
2020   19   18   17   16 | bezeichnen Zahl und Jahr des Druckes.
Alle Drucke dieser Auflage können, da unverändert,
nebeneinander benutzt werden.
1. Auflage
© 2015 Hueber Verlag GmbH & Co. KG, München, Deutschland
Umschlaggestaltung: Sieveking · Agentur für Kommunikation, München, Berlin
Fotoproduktion: Iciar Caso, Hueber Verlag, München
Fotos: Hueber Verlag / Matthias Kraus
Zeichnungen: Hueber Verlag / Bettina Kumpe
Gestaltung und Satz: Sieveking · Agentur für Kommunikation, München, Berlin
Verlagsredaktion: Dorothée Kersting, Hueber Verlag, München
Druck und Bindung: Firmengruppe APPL aprinta druck GmbH, Wemding
Printed in Germany
ISBN 978-3-19-011778-9

Wegweiser

Wiederholung von Wortschatz zur Vorbereitung auf das Modul

Selbstevaluation mit Selbstkontrolle

Lernfortschritte testen

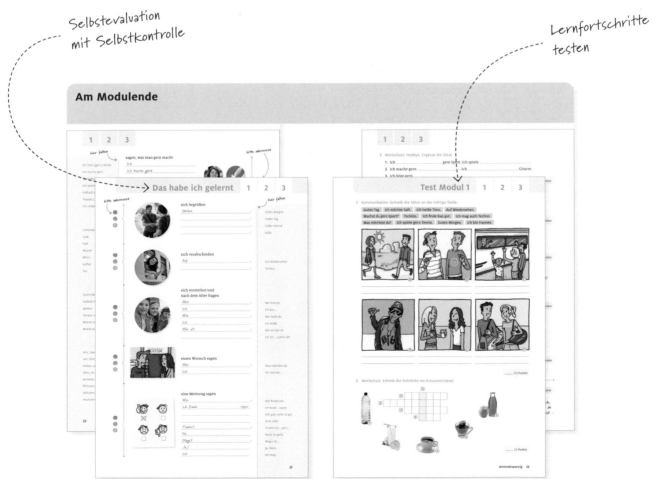

Wegweiser

Rechenrätsel zur Selbstkontrolle

Aufgaben zu Lesen, Schreiben, Hören

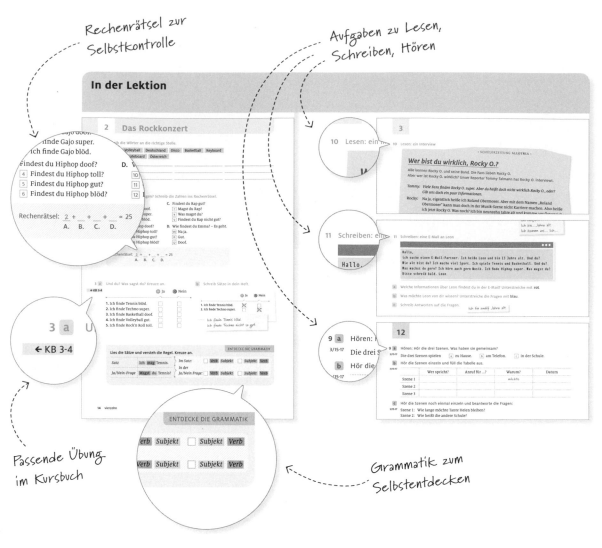

Passende Übung im Kursbuch

Grammatik zum Selbstentdecken

Übersetzung

Beispielsatz

Lernwort

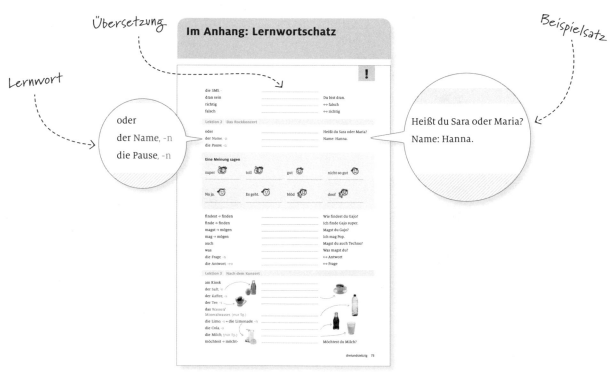

Inhalt

Deutsch – international

1 Schreib die Wörter ins Kreuzworträtsel.

← KB 1-3

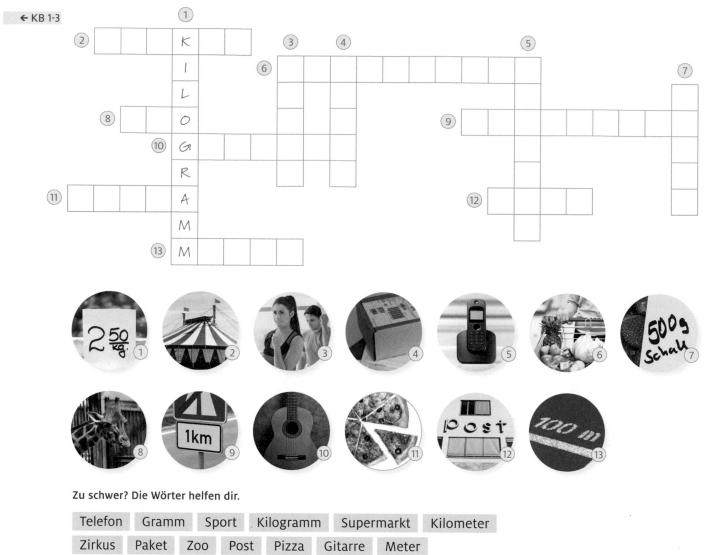

Zu schwer? Die Wörter helfen dir.

Telefon   Gramm   Sport   Kilogramm   Supermarkt   Kilometer

Zirkus   Paket   Zoo   Post   Pizza   Gitarre   Meter

2 ABC-Bild: Verbinde die Buchstaben nach dem ABC.

← KB 4-5

3 **a** **Ordne die Wörter nach dem ABC. Schreib die Wörter in die Zeilen.**

← KB 4–6

| Post | Zoo | Telefon | Bibliothek | Deutschland | Jeans | Meter | Gitarre |

| Schweiz | Ungarn | Liechtenstein | Information | Kilogramm | Österreich |

Bibliothek _____ _____ _____

_____ _____ _____

_____ _____ _____

_____ _____ _____

_____ _____

Zu schwer? Dann schreib die Wörter in diese Zeilen.

A _____   J _____   S _____

B _Bibliothek_   K _____   T _____

C _____   L _____   U _____

D _____   M _____   V _____

E _____   N _____   W _____

F _____   O _____   X _____

G _____   P _____   Y _____

H _____   Q _____   Z _____

I _____   R _____

b **Schreib die Namen deiner Mitschüler ins deutsche ABC.**

A _____   J _____   S _____

B _____   K _____   T _____

C _____   L _____   U _____

D _____   M _____   V _____

E _____   N _____   W _____

F _____   O _____   X _____

G _____   P _____   Y _____

H _____   Q _____   Z _____

I _____   R _____

4 Ergänze die Ländernamen. Ordne die Personen den Ländern zu. Mach Pfeile.

← KB 6-7

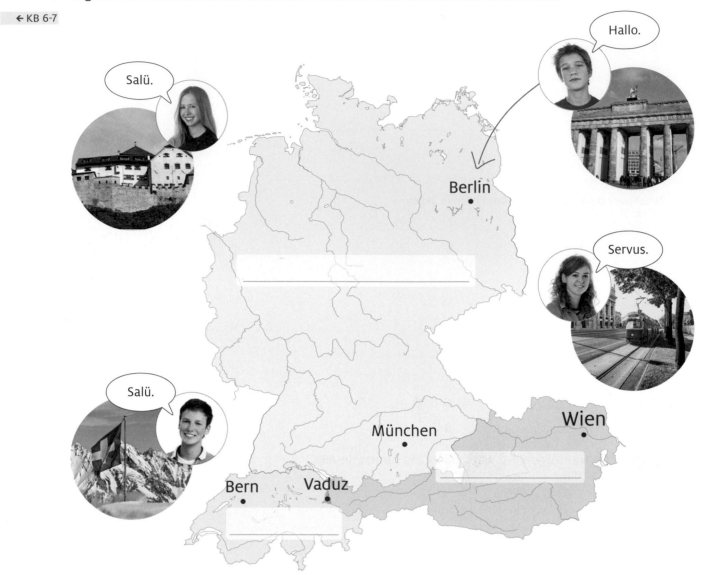

5 Lies noch einmal die Wörter aus 1 bis 4. Was ist das? Ergänze.

← KB 7

1. P i z z a

2. __ i __ __ __ __

3. __ i __ __ __ __ __

4. __ i __ __ __ __ __ e __

5. __ a __ __

6. __ __ a __ __

7. __ __ __ __ __ __ a __ __ __

8. __ o __ __

9. __ __ __ __ __ o __

10. __ __ o __ __

11. __ __ __ __ __ __ e __ __ __ e __ __

12. __ e __ __ __ __ __ __ __ __

13. __ __ __ e __ __ e __ __ __

14. __ __ __ __ e __ __

Kennenlernen

Schreib die Wörter an die richtige Stelle.

~~Konzert~~ Eishockey Gitarre Hallo

Cola Kaffee Volleyball Basketball

Tee Techno Rock'n Roll

sich begrüßen

_____

Sport

_____

_____

_____

Musik

_Konzert,_____

_____

_____

Getränke

_____

_____

_____

1 Musik: Schreib die Zahlen zu den Wörtern ins Rechenrätsel.

← KB 1-2

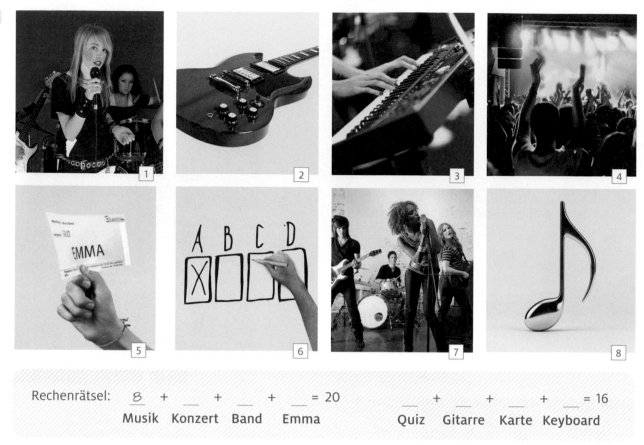

Rechenrätsel: 8 + ___ + ___ + ___ = 20   ___ + ___ + ___ + ___ = 16

Musik   Konzert   Band   Emma   Quiz   Gitarre   Karte   Keyboard

2 a Welche Antwort passt? Kreuze an.

← KB 3-4

1. ▲ Hallo, Paula.
   - [a] ● Ich heiße Paula.
   - [X] ● Paula? Ich heiße Lina.
   - [c] ● Ich bin Paula.

2. ▲ Wie heißt du?
   - [a] ● Lina. Und du?
   - [b] ● Du heißt Lina.
   - [c] ● Und du?

3. ● Wer bist du?
   - [a] ▲ Und du? Wer bist du?
   - [b] ▲ Du bist Linus.
   - [c] ▲ Ich bin Linus.

4. ● Lina und Linus!
   - [a] ▲ Hallo!
   - [b] ▲ Na so was!
   - [c] ▲ Paula und Paul!

b Schreib die Sätze 1–4 und die richtigen Antworten. Dann entsteht eine Geschichte.

_____

_____

_____

_____

_____

_____

_____

_____

3 *h* oder nicht? Hör zu und ergänze die Buchstaben.

3/02
← KB 5

_A_ ndreas, ___ e, ___allo! ▪ Wie ___eißt du? ▪

Ich ___eiße ___anna. ___nd du? ▪ ___ndrea.

4 Ergänze die Verben in den Sätzen.

← KB 6 1. ● Wie _____ *heißt* _____ du?

▲ Ich _____ Gabriel.

2. ● Wer _____ du?

▲ Ich _____ Gabriele.

3. ● Ich _____ Hanna.

Und du? Wie _____ du?

5 Wer sagt was? Schreib die Zahlen zu den Sätzen.

← KB 7-8

| ☐ Hallo, Linus. | ☐ Guten Abend, Herr Schwarz. | ☐ Guten Morgen, Herr Alt. |

| ☐ Guten Abend, Frau Held. | ☐ Guten Tag, Frau Wegner. | 1 Guten Tag, Herr Moser. |

6 Wie grüßt man bei euch? Trag das ins Schaubild ein.

← KB 8

7 **a** Schreib die Zahlen.

← KB 9-10 ___1___ _____ _____ _____ _____ _____ _____ _____ _____ _____

eins   vier   sieben   zwei   acht   neun   drei   sechs   fünf   zehn

b Mach Pfeile.

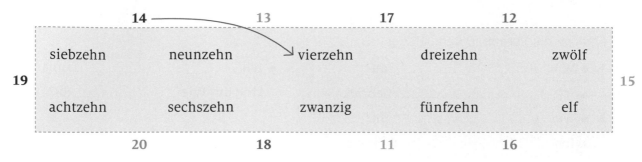

14   **13**   **17**   **12**

siebzehn   neunzehn   vierzehn   dreizehn   zwölf

19   **15**

achtzehn   sechszehn   zwanzig   fünfzehn   elf

20   **18**   **11**   **16**

8 Was kommt vorher? Was kommt dann? Schreib die Zahlen in Worten.

← KB 9-10   **1.** _____vier_____   fünf   _____

         2. _____   zwölf   _____

         3. _____   neunzehn   _____

         4. _____   acht   _____

         5. _____   sechzehn   _____

9 **a** Schreib die Wörter mit *ei* richtig.

← KB 11   **1.** eiwz _____   **4.** eidr _____

         2. eihßt _____Wie_____ ...   **5.** einn _____

         3. eeihß _____Ich_____ ...   **6.** eeidhnrz _____

b Hör die Wörter zur Kontrolle.

3/03

10 Schreib die Zahlen in Worten ins Kreuzworträtsel.

← KB 12-13

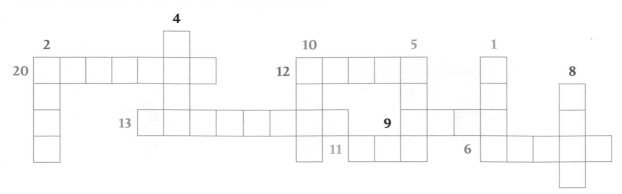

11 **a** Kleine Geschichten: Wer sagt was?

← KB 13 Schreib die Zahlen zu den Sätzen.

$\boxed{1}$ Elf und elf.

$\boxed{}$ Ich darf noch mal.

$\boxed{}$ Richtig.

$\boxed{}$ Falsch.

$\boxed{}$ Du bist dran.

$\boxed{}$ Neun und Neunzehn.

b Schreib die richtigen Sätze in die Sprechblasen.

2 Das Rockkonzert

1 Schreib die Wörter an die richtige Stelle.

← KB 1-2

~~Gitarre~~ Volleyball Deutschland Disco Basketball Keyboard
Schweiz Skateboard Österreich

1. Land: _____   _____   _____

2. Sport: _____   _____   _____

3. Musik: _Gitarre_____   _____   _____

2 Was kannst du noch sagen? Schreib die Zahlen ins Rechenrätsel.

← KB 3-4

A. Ich finde Gajo toll.
   1 Ich finde Gajo doof.
   ☒ Ich finde Gajo super.
   3 Ich finde Gajo blöd.

B. Findest du Hiphop doof?
   4 Findest du Hiphop toll?
   5 Findest du Hiphop gut?
   6 Findest du Hiphop blöd?

C. Findest du Rap gut?
   7 Magst du Rap?
   8 Was magst du?
   9 Findest du Rap nicht gut?

D. Wie findest du Emma? – Es geht.
   10 Na ja.
   11 Gut.
   12 Doof.

$$\text{Rechenrätsel: } \underset{A.}{2} + \underset{B.}{\_\_} + \underset{C.}{\_\_} + \underset{D.}{\_\_} = 25$$

3 **a** Und du? Was sagst du? Kreuze an.

← KB 3-4

	☺ Ja	☹ Nein
1. Ich finde Tennis blöd.	☐	☐
2. Ich finde Techno super.	☐	☐
3. Ich finde Basketball doof.	☐	☐
4. Ich finde Volleyball gut.	☐	☐
5. Ich finde Rock'n Roll toll.	☐	☐

b Schreib Sätze in dein Heft.

	☺ Ja	☹ Nein
1. Ich finde Tennis blöd.	☒	☐
2. Ich finde Techno super.	☐	☒

Ich finde Tennis blöd.
Ich finde Techno nicht so gut.

ENTDECKE DIE GRAMMATIK

Lies die Sätze und versteh die Regel. Kreuze an.

Satz	Ich **mag** Tennis.
Ja/Nein-Frage	**Magst** du Tennis?

Im Satz: ☐ **Verb** Subjekt   ☐ Subjekt **Verb**

In der Ja/Nein Frage: ☐ **Verb** Subjekt   ☐ Subjekt **Verb**

4 Schreib die Sätze und Fragen richtig. Achte auf das Satzzeichen.
Denk an die Großschreibung am Satzanfang.

← KB 5-6

1. mag ▪ ich ▪ Hiphop   Ich _____ .
2. Lina ▪ du ▪ heißt   Heißt _____ ?
3. heißt ▪ wie ▪ du   _____ ?
4. was ▪ du ▪ magst   _____ ?
5. toll ▪ finde ▪ ich ▪ Tennis   _____ .
6. du ▪ findest ▪ gut ▪ Pizza   _____ ?

5 Was passt zusammen? Schreib die Buchstaben ins Lösungswort.

← KB 5-6

1. Wie findest du Basketball?   C Linus.
2. Was magst du?   N Nein, super.
3. Wer bist du?   H Nein, Hiphop.
4. Magst du Rap?   ☒ Super.
5. Findest du Sport doof?   O Ja, Linus Weiß.
6. Bist du Linus?   E Hiphop.

Lösungswort: | T | | | | | |
       1. 2. 3. 4. 5. 6.

ENTDECKE DIE GRAMMATIK

Welche Antworten passen? Verbinde. Ergänze die Regel.

● Wer bist du?   ▲ Heike.
● Bist du Heike?   ▲ Ja.
               ▲ Nein.
               ▲ Ich bin Heike.

Fragen mit Wer? Was? Wie?
→ Antwort: Wort oder Satz

Ja/Nein-Frage
→ Antwort: _____ oder _____

6 **a** Partnerübung: Schreib Fragen für deinen Partner.

← KB 5-6

Frage   *Antwort*

1. Wie findest du _____ ?   _____
2. Findest du _____ ?   _____
3. Magst du _____ ?   _____
4. Was magst _____ ?   _____

b Tauscht die Arbeitsbücher und schreibt die Antworten.

7 Was gehört zusammen? Schreib ganze Sätze.

← KB 5-7

~~Andrea~~

Gabriel

Paula

Hannes

Andrea: _Ich finde Jeans nicht so toll._ _____

Gabriel: _____

Paula: _____

Hannes: _____

8 **a** Finde den Weg.

← KB 7

Hallo.

Hallo. Wer bist du denn?	Hallo. Und du?
Und du bist Linus.	Ich bin Linus. Und du?
Ich heiße Hanna.	Du heißt Hanna.
Sag mal, Hanna, magst du Musik?	Sag mal, du heißt Hanna.
Nein, ich mag Musik.	Ja, ich mag Musik.
Wie findest du Rap?	Na ja, es geht.
Du findest Rap doof.	Ich finde Rap doof.
Was magst du denn?	Wie heißt du denn?
Ich finde Techno super.	Ich mag Techno nicht.
Wirklich? Ich finde Techno super.	Wirklich? Ich auch.

b Schreib den Dialog richtig in dein Heft.

● Hallo.
▲ Hallo. Wer bist du denn?
● Ich bin Linus. Und du?
▲ ...

1 a Welche Antwort passt? Kreuze an.

← KB 1

1. ● Möchtest du Cola?
   - a ▲ Nein, ich möchte Cola.
   - b ▲ Nein, ich möchte Tee.
   - c ▲ Ja, ich möchte Tee.

2. ● Du möchtest Tee. Wirklich?
   - a ▲ Ja, ich trinke gern Tee.
   - b ▲ Du möchtest Tee.
   - c ▲ Na gut.

3. ▲ Und du? Trinkst du gern Tee?
   - a ● Na ja.
   - b ● Und du?
   - c ● Ja, und ich?

4. ▲ Zweimal Tee, bitte.
   - a ■ Danke.
   - b ■ Nein danke.
   - c ■ Hier bitte.

b Schreib die Sätze 1–4 und die richtigen Antworten in dein Heft.
Dann entsteht eine Geschichte.

2 a Suche noch sechs Getränke.

← KB 1

C	A	F	R	M	G	U	H	L
O	N	W	A	S	S	E	R	T
L	I	M	O	N	A	D	E	E
A	D	I	K	A	F	F	E	E
M	I	L	C	H	T	K	S	A

b Schreib die Getränke an die richtige Stelle.

1. _Cola_

2. _____

3. _____

4. _____

5. _____

6. _____

7. _____

3 a Wohin gehören die Wörter mit *ch*? Ergänze die Purzelwörter.

← KB 2

chI (2x)   chilM   ~~cheehnsz~~   chiiklrW   chemöstt   cheeiÖrrst   chint   chemöt   cheeeiiLnnst

1. Hier, Platz fünfzehn und Platz _s e c h z e h n_ .

2. Bist du in __ __ __ __ __ __ __ __ __ __ __ __ __
   oder in __ __ __ __ __ __ __ __ __ ?

3. ● __ __ __ finde Emma __ __ __ __ __ gut.
   ▲ __ __ __ __ __ __ __ __ ?

4. ● Was __ __ __ __ __ __ __ __ du?
   ▲ __ __ __ __   __ __ __ __ __ __   __ __ __ __ .

b Hör die Sätze zur Kontrolle.

3/04

4 Verbinde die Dominosteine.

← KB 3

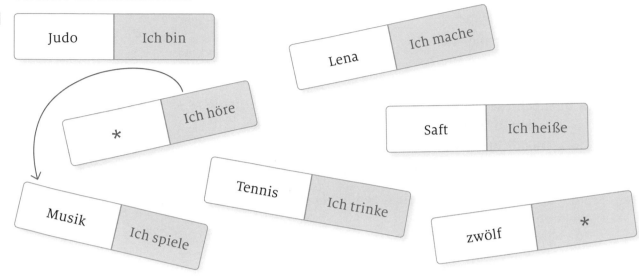

5 Was passt? Kreuze an. Schreib dann Sätze in dein Heft.

← KB 3

	Tennis	Sport	Klavier	Saft	Fußball	Musik	Tee
Ich spiele	X						
Ich höre							
Ich trinke							
Ich mache							
Ich möchte							

6 Ergänze die Verben in der richtigen Form.

← KB 3

1. ▲ _Machst_____ du Sport?   ◆ Ja, ich _____ Judo. (machen)

2. ▲ Was _____ du gern?   ◆ Ich _____ gern Tee. (trinken)

3. ▲ _____ du Cola?   ◆ Nein, ich _____ Limo. (möcht-)

4. ▲ Ich _____ Gitarre. Und du? Was _____ du? (spielen)

5. ▲ Wie _____ du Rap?   ◆ Rap? Ich _____ Rap doof. (finden)

ENTDECKE DIE GRAMMATIK

Ergänze die Endungen und die Regel.

Infinitiv

hör-en		hör_____		hör_____
spiel-en	ich	spiel_____	du	spiel_____
mach-en		mach_____		mach_____
trink-en		trink_____		trink_____

Infinitiv: Verb-Basis + -en
ich: *Verb-Basis (z.B. hör-) +* _____
du: *Verb-Basis (z.B. hör-) +* _____

7 a Was ist richtig? Kreuze an. Schreib die Zahlen ins Rechenrätsel.

← KB 4-5

A.
1 ▲ Wie
2 ▲ Wer ⎬ bist du denn? ◆ Linus.
3 ▲ Was

B.
4 ▲ Wer
5 ▲ Wie ⎬ machst du? ◆ Ich höre Musik.
6 ▲ Was

C.
7 ▲ Wie
8 ▲ Wie alt ⎬ bist du? ◆ Vierzehn.
9 ▲ Wer

D.
10 ▲ Was
11 ▲ Wie ⎬ trinkst du? ◆ Wasser.
12 ▲ Wer

E.
13 ▲ Wie alt
14 ▲ Was ⎬ findest du Techno? ◆ Gut.
15 ▲ Wie

F.
16 ▲ Wer
17 ▲ Was ⎬ möchtest du? ◆ Tee.
18 ▲ Wie

G.
19 ▲ Wie
20 ▲ Wie alt ⎬ heißt du? ◆ Heike.
21 ▲ Wer

H.
22 ▲ Wie
23 ▲ Was ⎬ spielst du? ◆ Gitarre.
24 ▲ Wer

Rechenrätsel: __ + __ + __ + __ + __ + __ + __ + __ = 100
A. B. C. D. E. F. G. H.

b Schreib die acht Fragen und Antworten richtig in dein Heft.

8 Stell die Fragen.

← KB 6

1. ▲ _Trinkst du Wasser_____ ?
   ◆ Nein, ich trinke Saft.

2. ▲ _____ ?
   ◆ Nein, ich möchte Tee.

3. ▲ _____ ?
   ◆ Ich trinke gern Limonade.

4. ▲ _____ ?
   ◆ Ich möchte Wasser.

5. ▲ _____ ?
   ◆ Heiko.

6. ▲ _____ ?
   ◆ Nein, Hanna.

9 Schreib den Dialog.

← KB 7

| Hallo, wer bist du denn? | Nein. | Und Volleyball? | Also, tschüss. | Gabriel. Und du? |

| Ich heiße Hannes. Spielst du Basketball? | Nein. | Auf Wiedersehen. |

▲ _Hallo, wer bist du denn?_____

◆ _____

_____

_____

_____

_____

_____

_____

10 Lesen: ein Interview

Wer bist du wirklich, Rocky O.?

Alle kennen Rocky O. und seine Band. Die Fans lieben Rocky O.
Aber wer ist Rocky O. wirklich? Unser Reporter Tommy Talmann hat Rocky O. interviewt.

Tommy: *Viele Fans finden Rocky O. super. Aber du heißt doch nicht wirklich Rocky O., oder? Gib uns doch ein paar Informationen.*

Rocky: Na ja, eigentlich heiße ich Roland Obermoser. Aber mit dem Namen „Roland Obermoser" kann man doch in der Musik-Szene nicht Karriere machen. Also heiße ich jetzt Rocky O. Was noch? Ich bin neunzehn Jahre alt und komme aus Österreich.

Tommy: *Was machst du denn so? Hast du Hobbys? Machst du Sport?*

Rocky: Ich mache regelmäßig Judo und gehe jeden Morgen joggen. Ich möchte ja fit sein.

Tommy: *Was für eine Musik hörst du eigentlich privat?*

Rocky: Klassische Musik, vor allem Mozart. Das ist super zum Relaxen.

Tommy: *Das ist ja interessant. Danke, Rocky, für das Gespräch.*

a Unterstreiche mit **blau** alles, was du verstehst. Siehst du? Du verstehtst schon viel.

b Welche Informationen über Rocky findest du im Text? Unterstreiche mit **rot**.

c Stell dir vor, du bist Rocky. Fass die Informationen zusammen:

Ich heiße ...
Ich bin ... Jahre alt.
Ich komme aus ... Ich ...

11 Schreiben: eine E-Mail an Leon

```
• • •

Hallo,
ich suche einen E-Mail-Partner. Ich heiße Leon und bin 13 Jahre alt. Und du?
Wie alt bist du? Ich mache viel Sport. Ich spiele Tennis und Basketball. Und du?
Was machst du gern? Ich höre auch gern Musik. Ich finde Hiphop super. Was magst du?
Bitte schreib bald. Leon
```

a Welche Informationen über Leon findest du in der E-Mail? Unterstreiche mit **rot**.

b Was möchte Leon von dir wissen? Unterstreiche die Fragen mit **blau**.

c Schreib Antworten auf die Fragen.

Ich bin zwölf Jahre alt.

d Schreib eine E-Mail an Leon. Achte auf die Reihenfolge. Schreib am Anfang *Hallo Leon, ...* und am Schluss *Bis bald* und deinen Namen.

bitte ankreuzen

hier falten

☹ ☺ ☺

sich begrüßen

Guten _____ !

_____ !

_____ !

_____ !

Guten Morgen

Guten Tag

Guten Abend

Hallo

☹ ☺ ☺

sich verabschieden

Auf _____ !

_____ !

Auf Wiedersehen

Tschüss

**sich vorstellen und
nach dem Alter fragen**

Wer _____ ?

Ich _____ .

Wie _____ ?

Ich _____ .

Wie alt _____ ?

_____ .

Wer bist du

Ich bin ...

Wie heißt du

Ich heiße ...

Wie alt bist du

Ich bin ... (Jahre alt)

☹ ☺ ☺

einen Wunsch sagen

Was _____ ?

Ich _____ .

Was möchtest du

Ich möchte ...

eine Meinung sagen

Wie _____ ?

Ich finde _____ super ,

_____

_____

Findest _____ ?

Na _____ .

Magst _____ ?

Ja./ _____ .

Ich _____ .

Wie findest du ...

Ich finde ... super,

toll, gut, nicht so gut

doof, blöd

Findest du ... gut / ...

Na ja. Es geht.

Magst du ...

Ja./Nein.

Ich mag ...

hier falten ⤑

bitte ankreuzen ⤵

Ich höre (gern) Musik

Ich mache gern

Sport/Musik

Ich spiele gern

Fußball/Klavier/

Theater/...

Ich trinke gern ...

sagen, was man gern macht

Ich _____ .

Ich mache gern _____

_____

_____

_____

_____ .

Ich _____ .

Limonade/Limo

Cola

Saft

Wasser

Milch

Kaffee

Tee

Getränke

_____

_____

_____

_____

_____

_____

_____

Sport/Musik machen

Fußball/Eishockey

spielen

Theater spielen

Klavier spielen

Musik hören

Hobbys

_____ machen _____

_____

_____

_____

_____ spielen _____

_____

eins, zwei, drei,

vier, fünf, sechs,

sieben, acht, neun,

zehn, elf, zwölf,

dreizehn, vierzehn,

fünfzehn, sechzehn,

siebzehn, achtzehn

neunzehn, zwanzig

Zahlen

_____

_____

_____

_____

_____

_____

_____

_____

1 3 5 6
2 4 5 10
7 4 9 11 16
8 12 17
14 13
19 20
18

1 Kommunikation: Schreib die Sätze an die richtige Stelle.

| Guten Tag. | Ich möchte Saft. | Ich heiße Timo. | Auf Wiedersehen. |

| Machst du gern Sport? | Tschüss. | Ich finde Rap gut. | Ich mag auch Techno. |

| Was möchtest du? | Ich spiele gern Tennis. | Guten Morgen. | Ich bin Hannes. |

_____ /12 Punkte

2 Wortschatz: Schreib die Getränke ins Kreuzworträtsel.

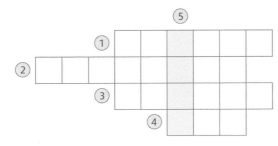

_____ /5 Punkte

3 Wortschatz: Hobbys. Ergänze die Sätze.

1. Ich _____ gern Sport. Ich spiele _____ .

2. Ich mache gern _____ . Ich _____ Gitarre.

3. Ich höre gern _____ .

_____ /5 Punkte

4 Wortschatz: Schreib die Zahlen in Worten.

1   _eins_____   5   _____

7   _____   17   _____

12   _____   20   _____

_____ /5 Punkte

5 Grammatik: Streiche die falsche Verbform durch.

1. Ich höre/~~hörst~~ gern Musik.   4. Ich bin/bist zwölf.
2. Spiele/Spielst du Gitarre?   5. Ich trinke/trinkst gern Milch.
3. Du heiße/heißt Linus, oder?   6. Du finde/findest Tennis gut.

_____ /5 Punkte

6 Grammatik: Ergänze die Fragen.

1. ● _____ bist du denn?   4. ● _____ findest du Fußball?
   ▲ Tina.   ▲ Super.

2. ● _____ bist du?   5. ● _____ magst du?
   ▲ Dreizehn.   ▲ Popmusik.

3. ● _____ möchtest du?
   ▲ Tee.

_____ /5 Punkte

7 Grammatik: Schreib die Sätze und Fragen richtig.

1. Lina ▪ bin ▪ ich   _____ .

2. Pizza ▪ du ▪ magst   _____ ?

3. gern ▪ Musik ▪ hörst ▪ du   _____ .

4. du ▪ machst ▪ Was   _____ ?

5. Wer ▪ ich ▪ bin   _____ ?   _____ /5 Punkte

42–32 Punkte ☺	31–19 Punkte 😐	18–0 Punkte ☹	gesamt _____ /42 Punkte
Super. Du bist fit!	Na ja. Du musst noch üben.	Oje! Noch viel üben!	

Sieh nach, wie gut du schon bist …

Familie

a Schreib die Wörter an die richtige Stelle.

Mama   Techniker   Architekt   Papa

b Du kennst schon viele Wörter und Sätze.

Familie

_____

_____

Berufe

_____

_____

sich vorstellen

Ich _____

_____

Hobbys

_____

_____

_____

Zahlen

_____

_____

_____

sich begrüßen

Guten _____

_____

sich verabschieden

_____

_____

4 Familien-Quiz

1 **a** Familie: Was passt nicht? Streiche durch.

← KB 2-3

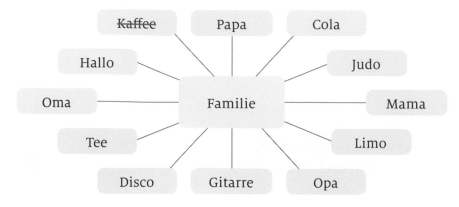

Kaffee   Papa   Cola

Hallo   Judo

Oma   Familie   Mama

Tee   Limo

Disco   Gitarre   Opa

b Was passt? Schreib die Wörter.

Familie: _____ , _____ , _____ , _____

2 Was gehört zusammen? Ergänze.

← KB 2-3

1.   Vater   und   _____   =   *Eltern*

2.   _____   und   Schwester   =   _____

3.   Großvater   und   _____   =   _____

4.   _____   und   Mama   =   _____

5.   _____   und   Oma   =   _____

6.   Onkel   und   _____

7.   _____   und   Cousine

3 Ordne den Dialog. Schreib die Zahlen.

← KB 2-3

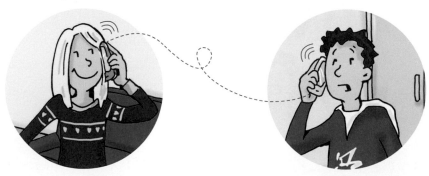

_1_ ● Hier König.

____ ● Nein, nein, nein! Doch nicht Opa!

____ ● Mama? Ich bin doch nicht Mama.

____ ● Hihihi. Tina. Ich bin Tina.

____ ● Nein, ich bin auch nicht Oma.

____ ● Ich bin nicht Papa.

____ ▲ Nicht Papa? Ach, du bist's, Oma.

____ ▲ Wer denn dann?

____ ▲ Ach Tina, du bist doof.

_2_ ▲ Hallo, Mama.

____ ▲ Nicht Mama? Ach so, Papa.

____ ▲ Oder Opa?

4 Hör zu und schreib die Wörter der Reihe nach auf.

3/05
← KB 4

1. _____ 4. _____ 7. _____

2. _____ 5. _____ 8. _____

3. _____ 6. _____ 9. _____

Zu schwer? Die Purzelwörter helfen dir.

aertV	eeMrt	ceehrSstw	eprsu	eMrttu	Bderru	ceehiGrsstw	aerssW	eeiKlmort

5 Hör zu und unterstreiche die betonte Silbe.

3/06
← KB 4

Va-ter ▪ Schwe-ster ▪ Bru-der ▪ Mut-ter ▪ Was-ser

Me-ter ▪ su-per ▪ The-a-ter ▪ Ge-schwis-ter ▪ Pe-ter

6 Lisas Familie: Was ist richtig? Was ist falsch?

← KB 5

	richtig	falsch			richtig	falsch
① Opa	☐	☐	⑥ Cousine Pia	☐	☐
② Onkel Jan	☐	☐	⑦ Bruder Max	☐	☐
③ Schwester Eva	☐	☐	⑧ Tante Anne	☐	☐
④ Großeltern	☐	☐	⑨ Cousin Fabian	☐	☐
⑤ Oma	☐	☐	⑩ Mama	☐	☐

7 Und jetzt du: Wer gehört zu deiner Familie? Schreib auf. Schreib auch die Namen dazu.

← KB 5

8 a Wer sagt was? Schreib die Zahlen zu den Sätzen.

← KB 5   ☐ Cousin Alfred.   1 Wer bin ich?   ☐ Hannes?   ☐ Nein.   ☐ Auch nicht.   ☐ Oder Linus?

b Schreib weitere Dialoge. Erfinde die Namen selbst und dazu Cousine, Tante, ...

9 Suche die Zahlen.

← KB 6-8

| 66 | 100 | 40 | 57 | 70 | 82 | 91 | 19 | 58 | 20 | 36 | 30 | 60 | 1000 |

```
K G E B O R T S E C H S U N D S E C H Z I G
D R U V L N A C H T U N D F Ü N F Z I G V S
S A C I E X U L E I N U N D N E U N Z I G I
T I S E C H S U N D D R E I ß I G O P F U E
U H F R S N E U N Z E H N V D R E I ß I G B
E B O Z W A N Z I G R L R S E C H Z I G O Z
Z W E I U N D A C H T Z I G V U K L R V N I
I N T G S I E B E N U N D F Ü N F Z I G A G
```

ENTDECKE DIE ZAHLEN

Schreib die Zahlen in Worten.

| dreißig | ein | fünfzig | neun | sechzig | zwei | ~~vier~~ | ~~siebzig~~ |

74   _vier und siebzig_   52   _____ und _____

31   _____ und _____   69   _____ und _____

74

vier**undsiebzig**

10 Hör zu, schreib die Zahlen und rechne.

3/07

← KB 6-8   _____ − _____ − _____ + _____ − _____ + _____ − _____ + _____ + _____ = _____

1 Was passt zusammen? Schreib die Zahlen ins Rechenrätsel.

← KB 1-2

A. Wie alt ist Maria?　　　　　　　　　1 Ich bin zwölf.

B. Sind Rosa und Rita zehn?　　　　　　2 Sie ist siebzehn.

C. Wie alt bist du denn, Mario?　　　　　3 Nein, sie ist fünfzehn.

D. Wie alt ist Stefan?　　　　　　　　　4 Sie sind vierzehn.

E. Wie alt sind Peter und Paul?　　　　　5 Er ist sechzehn.

F. Ist Lina zwölf Jahre alt?　　　　　　　6 Nein, sie sind elf Jahre alt.

Rechenrätsel: Wie alt ist Hannes?　__ + __ − __ + __ + __ − __ = ____

　　　　　　　　　　　　　　　　　A.　B.　C.　D.　E.　F.

2 Ergänze: *ich – du – er – sie.*

← KB 1-2

1. ● Das sind Mia und Jonas. _____ sind Geschwister.

2. ● Das ist Cousine Lena. ▲ Wie alt ist _____ denn? ● _____ ist erst neun.

3. ● Das ist Onkel Andreas. _____ ist aus Österreich.

4. ● Wie alt bist _____? ▲ Elf.

5. ● Hallo, _____ bin Paula. Und wer bist _____?

3 Finde drei kleine Dialoge (immer drei Teile). Schreib sie in dein Heft.

← KB 1-2 Ergänze: *bin – bist – ist – sind.*

Wie findest du Tim?	Warte mal – sie ??? fünfzehn.	Ich ??? Paul.

Ich ??? Paula. Und du?	Hallo! Wer ??? du denn?	Aha. Jonas ??? super.	Er ??? doof.

Also, ich finde Tim toll.	Sag mal, wie alt ??? Jan und Jonas?

4 Was ist richtig? Kreuze an. Schreib die Buchstaben ins Lösungswort.

← KB 4-5

1. Papas Bruder ist mein
　I Opa.
　E Onkel.
　A Cousin.

3. Mamas Schwester ist meine
　I Oma.
　E Tante.
　A Cousine.

5. Papas Mutter ist meine
　N Oma.
　R Tante.
　T Cousine.

2. Mamas Vater ist mein
　K Opa.
　B Onkel.
　T Cousin.

4. Mamas Eltern sind meine
　S Geschwister.
　L Großeltern.
　V Tanten.

Lösungswort: ☐☐☐☐☐

　　　　　3.　5.　2.　1.　4.

5 Schreib den Text richtig in dein Heft. Vergiss das Satzzeichen (.) nicht.

← KB 4-5   ICHHEIßEGABRIELICHBINZWÖLFJAHREALTMEINBRUDERJANISTERSTSIEBEN
MEINESCHWESTERTINAISTSECHZEHNSIEISTDOOFMEINEELTERNSINDSUPER
MEINVATERISTEINUNDFÜNFZIGUNDMEINEMUTTERIST DREIUNDVIERZIG
MEINEGROßELTERNSINDAUCHTOLLMEINOPAISTFÜNFUNDSIEBZIGUNDMEINE
OMAISTNEUNUNDSECHZIGSIESINDINÖSTERREICH

6 Und jetzt du. Schreib in dein Heft.

← KB 4-5

> Ich heiße ... . Ich bin ...
> Mein Vater / Opa ... / Bruder ... / Onkel ... / Cousin ... ist ... Jahre alt.
> Meine Mutter / Oma ... / Schwester ... / Tante ... / Cousine ... ist ...
> Meine Eltern / Großeltern / Geschwister sind ...

7 Ordne den Dialog. Schreib die Zahlen.

← KB 6

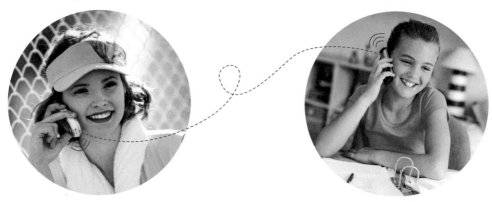

_1_ ▼ Hi, Emma.	____ ● Ich mache Hausaufgaben.
____ ▼ Ach so.	____ ● Hallo, Lea.
____ ▼ Super. Kommst du dann?	____ ● Ja, ich bin gleich da.
____ ▼ Was machst du gerade?	____ ● Tennis? Ja klar.
____ ▼ Also, bis gleich.	____ ● Ich bin aber gleich fertig. Was ist denn los?
____ ▼ Ich möchte Tennis spielen. Du auch?	

8 a Was ist falsch? Streiche durch.

← KB 7-8
1. ● Ist das dein/~~deine~~ Bruder?   ▼ Nein, das ist mein/meine Cousin.
2. ● Sind das dein/deine Großeltern?   ▼ Ja, mein/meine Opa Jörg und mein/meine Oma Lina.
3. ● Das ist mein/meine Tante.   ▼ Wie alt ist denn dein/deine Tante?
4. ● Dein/Deine Vater ist super.   ▼ Mein/Meine Vater? Na ja, es geht.

b Schreib die Sätze richtig in dein Heft.

9 Welche Antwort passt? Kreuze an und schreib die Zahlen ins Rechenrätsel.

← KB 7-8

A. Wer ist das?

☒ Mein Bruder.

2 Dein Bruder.

3 Das ist dein Bruder.

B. Ist das deine Schwester?

4 Ja, meine Cousine.

5 Nein, mein Cousin.

6 Nein, meine Cousine.

C. Das ist also dein Bruder Leon.

7 Nein, meine Geschwister.

8 Ja, und meine Schwester Tina.

9 Nein, meine Schwester.

D. Sind das deine Eltern?

10 Nein, mein Onkel Hannes.

11 Nein, meine Tante Vera.

12 Nein, meine Tante und mein Onkel.

E. Wer ist das denn?

13 Das sind meine Großeltern.

14 Das ist deine Oma.

15 Das ist dein Opa.

Rechenrätsel: $\dfrac{1}{A.} + \dfrac{\ }{B.} + \dfrac{\ }{C.} + \dfrac{\ }{D.} + \dfrac{\ }{E.} = 40$

10 Ergänze die Wortsterne.

← KB 9

Vater _____ _____

mein - dein

Mutter _____ _____

meine - deine

Eltern _____ _____

meine - deine

_____ _____   _____ _____   _____ _____

ENTDECKE DIE GRAMMATIK

Was ist falsch? Streiche durch. Ergänze dann die Regel.

● Das ist meine/mein Vater.   ▲ Wie alt ist deine/dein Vater?   ● Er ist 45.

● Das ist meine/mein Mutter.   ▲ Wie alt ist deine/dein Mutter?   ● Sie ist 42.

● Das sind meine/mein Eltern?   ▲ Wie alt sind deine/dein Eltern?   ● Sie sind 42 und 45.

er *(maskulin)* → ___mein___ / _____

sie *(feminin)* → _____ / ___deine___

sie *(Plural)* → _____ / _____

---

11 Schreib die Sätze richtig.

← KB 10

1. nicht ▪ Ich ▪ weiß   _____.

2. spielst ▪ gern ▪ Du ▪ nicht   _____.

3. doof ▪ ist ▪ nicht ▪ Mein ▪ Bruder   _____.

4. gern ▪ Ich ▪ trinke ▪ nicht ▪ Tee   _____.

5. nicht ▪ möchte ▪ Ich ▪ mitmachen   _____.

12 Schau das Bild an und antworte mit *nicht*.

← KB 10

1. ● Du heißt also Peter.

   ▲ Nein, ich heiße nicht _____

2. ● Du bist sechs Jahre alt.

   ▲ Nein, ich bin nicht _____

3. ● Du spielst Tennis.

   ▲ Nein, _____

4. ● Du trinkst gern Kaffee.

   ▲ _____

5. ● Und du spielst Gitarre.

   ▲ _____

13 a Und jetzt du. Kreuze an.

← KB 10

	ja	nein		ja	nein
1. Du trinkst gern Milch.	☐	☐	4. Du spielst gern Klavier.	☐	☐
2. Du machst gern Hausaufgaben.	☐	☐	5. Du hörst gern Musik.	☐	☐
3. Du lernst gern Deutsch.	☐	☐	6. Du machst gern Sport.	☐	☐

b Schreib Sätze in dein Heft.

> Ich trinke (nicht) gern ...

14 a Was passt? Kreuze an.

← KB 11

1. ▲ Ich gehe jetzt nach Hause.
   - a ● Gute Nacht.
   - b ● Guten Morgen.

2. ▲ Auf Wiedersehen.
   - a ● Tschüss.
   - b ● Hallo.

3. ▲ Guten Abend.
   - a ● Hallo.
   - b ● Gute Nacht.

4. ▲ Wie geht's?
   - a ● Ich gehe nach Hause.
   - b ● Danke gut.

b Schreib die Sätze 1–4 und die Antworten in dein Heft.

15 Ordne die Dialogteile den Bildern zu.

← KB 12

_A_ Ich möchte Tennis spielen. Möchtest du mitspielen?

_B_ Ich möchte Tennis spielen. Möchtest du mitspielen?

____ Tennis? Super Idee.

____ Na, ich weiß nicht. Na gut.

1   Ordne die Wörter den Begriffen zu. Verbinde.

← KB 1

Jörg Baumann   Emma Wulf   41 Jahre   Ingenieur

Musikerin   Name   Vorname   Alter   Beruf   Hobbys   Fußball

18 Jahre   Judo

Lina Maier   Klavier spielen   Lehrerin   35 Jahre

2   Schreib die Verben ins Kreuzworträtsel.

← KB 2-3

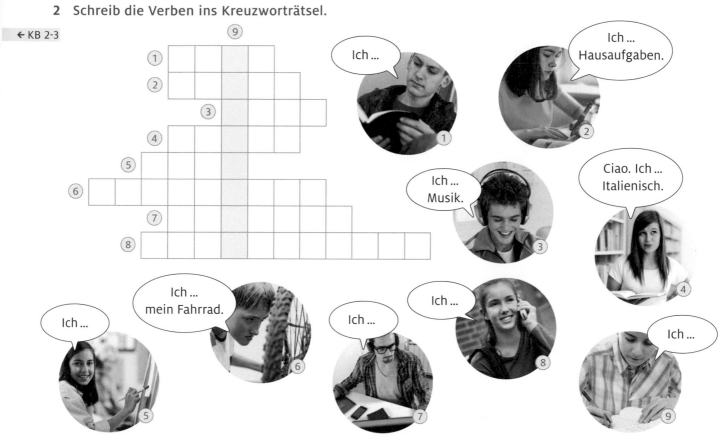

3 **a**   Partnerübung: Schreib Fragen für deinen Partner.

← KB 2-3

Frage	*Antwort*
1. Liest du gern?	
2. Arbeitest du gern im _____ ?	
3. Hörst du _____ ?	
4. _____ E-Mails ?	
5. Telefonierst _____ mit Oma ?	
6. Machst du _____ ?	
7. _____ Englisch ?	
8. _____ ?	

b   Tauscht die Arbeitsbücher und schreibt die Antworten.

4 Lies die Sätze 1–10 und füll das Logical aus. Beantworte dann die Frage.

← KB 4-5

1. Lina ist dreizehn Jahre alt und findet Rap gut.
2. Maria liest nicht gern.
3. Paula findet Techno gut.
4. Hanna trinkt gern Cola und findet Rock'n' Roll gut.
5. Lara ist vierzehn Jahre alt und trinkt gern Tee.
6. Sie findet Hiphop gut und ist nicht vierzehn Jahre alt.
7. Sie ist zwölf Jahre alt, trinkt gern Limo und lernt nicht gern Englisch.
8. Sie ist fünfzehn Jahre alt und trinkt gern Saft.
9. Sie malt nicht gern, aber sie trinkt gern Wasser.
10. Sie hört nicht so gern Musik, aber Emma findet sie gut.

Name	Lina				
Alter	dreizehn				
macht nicht gern …					
findet … gut.					
trinkt gern …					

Wer ist sechzehn Jahre alt und telefoniert nicht gern?

5 **a** Ergänze die Tabelle.

← KB 4-5

	spielen	lernen	telefonieren	malen	arbeiten
ich	spiele				
du		lernst			arbeitest
er/sie			telefoniert		

b Schreib Sätze in dein Heft.

Ich spiele …

ENTDECKE DIE GRAMMATIK

Ergänze die Endungen und die Regel.

Infinitiv

mal-en	ich	mal____	du	mal____	er/sie	mal____
lern-en		lern____		lern____		lern____

ich: *Verb-Basis* + _____   du: *Verb-Basis* + _____   er/sie: *Verb-Basis* + _____

6 **a** Ergänze die E-Mail. Schreib die Zahlen ins Rechenrätsel.

← KB 4-5

Hallo, Leonie, wie geht es dir? Was (a) du denn immer so? (b) du noch Tennis?
Ich (c) oft mit Opa. Wie (d) du Roger Federer? Ist er nicht toll? Was (e) eigentlich
dein Bruder? (f) er immer noch so gut Gitarre? Er (g) doch Rock-Musik, oder?
Ich (h) das super. Also, ich (i) meine Hausaufgaben und (j) Hardrock dazu. Mama (k)
das nicht gut. Klar! Mama (l) nur Mozart und Beethoven. Und du? (m) du eigentlich gern
Hardrock? Bitte schreib mir bald.
Deine Elsa

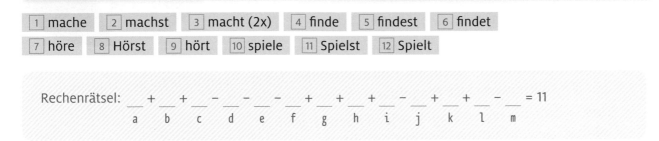

| 1 mache | 2 machst | 3 macht (2x) | 4 finde | 5 findest | 6 findet |
| 7 höre | 8 Hörst | 9 hört | 10 spiele | 11 Spielst | 12 Spielt |

Rechenrätsel: __ + __ + __ − __ − __ − __ + __ + __ + __ − __ + __ + __ − __ = 11
                a   b   c   d   e   f   g   h   i   j   k   l   m

b Schreib die E-Mail richtig in dein Heft.

7 **a** Was ist richtig? Kreuze an.

← KB 6-7

1. a ● Wie
   b ● Was } ist das? ▲ Tom.
   c ● Wer

2. a ● Woher
   b ● Wo } kommt Tom? ▲ Aus Wien.
   c ● Wie

3. a ● Wie
   b ● Wo } wohnt er? ▲ In Berlin.
   c ● Woher

4. a ● Was
   b ● Wie } ist er? ▲ Vierzehn.
   c ● Wie alt

5. a ● Was
   b ● Wie } macht er gern? ▲ Lesen.
   c ● Wo

b Mach Sätze aus Frage und Antwort. Schreib die Sätze in dein Heft.

1. Das ist …

8 Hör zu und schreib die fehlenden Wörter in die Lücken.

3/08
← KB 7-8

Hallo, Eva, was _____ (a) du denn immer so? _____ (b) du immer
noch so gern? Und was _____ (c) deine Schwester? Sie _____ (d)
doch auch so viel. Und sie _____ (e) so gut, oder? Du _____ (f)
ja auch gut, ich weiß. _____ (g) du immer noch Spanisch? Also ich
_____ (h) jetzt Italienisch. Mein Freund _____ (i) nämlich
aus Italien. Er _____ (j) Tino. Er _____ (k) Deutsch.
Bis bald   Deine Julia

9 Lesen: ein Interview

• SCHÜLERZEITUNG **ALLOTRIA** •

In der Reihe »Sportler international« interviewt heute
Reporterin Lea von der Schülerzeitung *Allotria* den
Eishockeyspieler Marek Moravec.

Lea: *Marek, du spielst Eishockey.*

Marek: Ja, das ist richtig.

Lea: *Du spielst jetzt in Deutschland.*

Marek: Ja richtig, in Nürnberg. Und das ist super. Ich spiele gern Eishockey. Und die
         Nürnberger »Ice Penguins« sind eine tolle Mannschaft.

Lea: *Du bist noch sehr jung. Wie alt bist du eigentlich?*

Marek: Ich bin 20. Aber ich habe schon früh mit Eishockey angefangen, mit sieben,
         damals in Most. Und jetzt spiele ich in Deutschland. Das ist doch toll, oder?

Lea: *Du kommst also aus Tschechien. Du sprichst aber gut Deutsch.*

Marek: Na ja, meine Oma kommt aus Österreich. Und außerdem wohne ich schon
         drei Jahre in Deutschland, in Nürnberg. Und ich bin gern hier.

Lea: *Du spielst gern Eishockey. Du hast also dein Hobby zum Beruf gemacht. Hast du
         eigentlich noch andere Hobbys?*

Marek: Ich höre gern Musik, vor allem Hiphop, und ich lese viel.

Lea: *Machst du noch anderen Sport, Fußball zum Beispiel?*

Marek: Nein, ich mache nicht gern Sport, außer Eishockey natürlich.

Lea: *Na, dann viel Glück für dich und die Nürnberger »Ice Penguins«.*

a Unterstreiche mit blau alles, was du verstehst. Siehst du? Du verstehst schon viel.

b Marek gibt viele Informationen. Ordne die Themen der Reihe nach.

   __3__ Herkunft (Woher?) _____ Alter _____ Beruf _____ Hobbys _____ Wohnort _____ Familie

c Gib dem Interview einen Titel. Schreib ihn oben ein.

   Marek aus …
   … spielt …

10 Schreiben: ein Artikel für die Schülerzeitung „Allotria"

a Welche Informationen über Marek findest du im Interview? Unterstreiche mit rot.

b Mach Sätze, notiere nur die wichtigen Informationen.
   Achte auf die richtige Verbform.

   Das ist Marek …
   Er spielt Eishockey.
   Er …

c Bring die Sätze in die richtige Reihenfolge und
   schreib deinen Titel dazu.

bitte ankreuzen

hier falten

Jemanden vorstellen

Wer _____ ?

Das _____ .

Wie _____ ?

Er/Sie _____ .

Wie alt _____ ?

_____ .

_____ Schüler .

_____ Schülerin .

Wer ist das

Das ist ...

Wie heißt er/sie

Er/Sie heißt ...

Wie alt ist er/sie

Er/Sie ist ... (Jahre alt)

Er ist Schüler

Sie ist Schülerin

sich verabreden

Ich bin _____ fertig .

Ich komme _____ .

Ich _____ da .

Ich bin gleich fertig

Ich komme sofort

Ich bin gleich da

sich verabschieden

Auf _____ !

_____ !

_____ !

Auf Wiedersehen

Tschüss

Gute Nacht

sagen, was man (nicht) gern macht

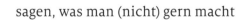

Möchtest _____

_____ ?

Ich _____ (nicht)

_____ .

_____ spiele (nicht)

_____ .

Möchtest du

mitmachen

Ich möchte (nicht)

mitmachen

Ich spiele (nicht) so

gern

hier falten →

bitte ankreuzen

Informationen erfragen

Wer _____ ?

Das ist mein Cousin.

Wie _____ ?

Er heißt Max.

_____ ?

Er kommt aus der Schweiz.

_____ ?

Er wohnt in Basel.

Wer ist das?

Wie heißt er?

Woher kommt er?

Wo wohnt er?

Familie

Vater + Mutter = _____

_____ = Geschwister

_____ = Großeltern

_____

_____

Eltern

Bruder + Schwester

Opa + Oma

Tante, Onkel

Cousin, Cousine

Hobbys

_____

_____

_____

_____

_____

telefonieren

schreiben

lesen

im Garten arbeiten

malen

Berufe

_____

_____

Ingenieur, Architekt

Techniker, Künstler

Zahlen

_____

_____

_____

_____

_____

_____

_____

zwanzig, dreißig

vierzig, fünfzig

sechzig, siebzig

achtzig, neunzig

hundert, zweihundert

zweitausend

siebenundfünfzig

1 Kommunikation: Schreib die Sätze an die richtige Stelle.

| Kommst du? | Wer ist das? | Tschüss, Oma. | Ja, ich möchte Künstler werden. |

| Ja, ich bin gleich da. | Gute Nacht. | Aus der Schweiz. | Nein, ich mache nicht gern Sport. |

| Malst du gern? | Spielst du Fußball? | Das ist mein Cousin. | Woher kommt deine Tante? |

_____

_____

_____ /12 Punkte

2 Wortschatz: Was passt nicht? Streiche durch.

1. Vater ▪ Großeltern ▪ Mutter ▪ Eltern
2. Opa ▪ Großeltern ▪ Oma ▪ Onkel
3. Oma ▪ Tante ▪ Onkel ▪ Cousin

4. Geschwister ▪ Schwester ▪ Mama ▪ Bruder
5. Großmutter ▪ Großvater ▪ Cousine ▪ Opa

_____ /5 Punkte

3 Wortschatz: Schreib die Zahlen und rechne.

1. zweihundert   –   sechsunddreißig   –   vierundsechzig

    _200_   –   _____   –   _____   = _____

2. siebenundvierzig   +   einundsiebzig   +   zweiundfünfzig

   _____   +   _____   +   _____   = _____

_____ /5 Punkte

4 Wortschatz: Was passt? Schreib die Zahlen.

| 1 reparieren | 2 arbeiten | 3 hören | 4 machen | 5 schreiben |

1. im Garten _____ **2.** Computer _____ **3.** Musik _____ **4.** Hausaufgaben _____ **5.** E-Mails _____

_____ /5 Punkte

5 Grammatik: Was ist richtig? Kreuze an.

1. ☐ Lesen
☐ Lese ⟩ du?
☐ Liest

3. Papa ☐ arbeitet.
☐ arbeitest.
☐ arbeiten.

2. Laura ☐ telefoniere
☐ telefoniert ⟩ mit Jan.
☐ telefonierst

4. Linus ☐ liest
☐ lese ⟩ viel.
☐ lesen

_____ /4 Punkte

6 Grammatik: Ergänze *ich – du – er – sie – sie*.

1. Das ist Tante Helga. _____ ist super.

4. _____ bin zehn Jahre alt.

2. Das ist Onkel Paul. _____ ist in Wien.

5. Tina, wo bist _____ ?

3. Das sind Jan und Julia. _____ sind doof.

_____ /5 Punkte

7 Grammatik: Schreib mit den Wörtern drei Sätze mit *nicht*.

| spielst | Ich | nicht | gern | Kaffee | trinke | nicht | Andreas | gern | ist | doof | nicht | Du |

1. _____

2. _____

3. _____

_____ /3 Punkte

8 Grammatik: Ergänze *mein – meine – dein – deine*.

1. ● Ich bin Paula. Und das ist _____ Bruder Max.

2. ● Ist das _____ Schwester? ▲ Nein, _____ Cousine.

3. ● Wer ist das? ▲ Das sind _____ Großeltern.

4. ● Sind das _____ Eltern? ▲ Ja.

5. ● Wo wohnt _____ Onkel? ▲ In Berlin.

_____ /6 Punkte

| 45–36 Punkte ☺ | 35–23 Punkte 😐 | 22–0 Punkte ☹ | gesamt _____ /45 Punkte |
| Super. Du bist fit! | Na ja. Du musst noch üben. | Oje! Noch viel üben! | Sieh nach, wie gut du schon bist … |

Schule

a **Schreib die Wörter an die richtige Stelle.**

Deutsch | Mathematik | Rucksack | Musik

Informatik | Englisch | Physik | Sport

~~Sportsachen~~ | Geografie | Biologie | Block

Schulfächer

_____

_____

_____

_____

_____

Schulsachen

Sportsachen, _____

_____

_____

b **Du kennst schon viele Wörter und Sätze.**

Personen in der Schule

Klasse, _____

_____

Das machst du in der Schule

_____

_____

einen Vorschlag machen und ablehnen

Ich _____ Tennis spielen.

Möchtest _____

Nein, ich _____

_____

7 Unterricht

1 Schreib die Schulfächer ins Kreuzworträtsel.

← KB 2-3

2 **a** Schulfächer: Schreib die Purzelwörter richtig.

← KB 2-3

1. stGicehehc = *Geschichte*

2. aeeGgiofr =

3. Ehikt =

4. Ceehim =

5. adeiklnoSuz =

6. egiilnoR =

b Welche Fächer sind das? Schreib die Zahlen aus **a** .

 ___  ___ ___

3 **a** Partnerübung: Schreib Fragen für deinen Partner.

← KB 2-3

Frage	*Antwort*
1. Magst du Mathematik?	
2. Findest du _____ gut ?	
3. Findest du _____ doof ?	
4. Wie findest du _____ ?	
5. _____ ?	

b Tauscht die Arbeitsbücher und schreibt die Antworten.

4 Schreib die Wörter ins Kreuzworträtsel. Hör die ö-Wörter zur Kontrolle.

3/09 Zu schwer? Dann hör zuerst die Wörter.

← KB 4

Ö

1. Wien ist in ①
2. ② du Tee?
3. Nein, ich ③ Milch.
4. Paul ist ④ (12) Jahre alt.
5. Ich ⑤ gern Musik.
6. „Oui" ist ⑥ und heißt „ja".
7. Max macht nicht gern Sport. Er findet Sport ⑦.

5 Suche die Wochentage und schreib sie in der richtigen Reihenfolge auf.

← KB 5

G	K	M	I	T	T	W	O	C	H	F
E	S	O	N	N	T	A	G	S	H	R
D	O	N	N	E	R	S	T	A	G	E
Z	U	T	W	X	O	R	N	F	L	I
O	S	A	M	S	T	A	G	V	B	T
M	D	G	E	N	K	G	T	Z	I	A
A	R	W	D	I	E	N	S	T	A	G

1. Montag
2.
3.
4.
5.
6.
7.

6 Was passt zusammen? Schreib die Buchstaben ins Lösungswort.

← KB 6-7

1. Was hast du in der dritten Stunde? | I | Heute ist Mittwoch.
2. Wann hast du Sport? | G | Ich habe die Hausaufgabe nicht.
3. Was hast du am Freitag? | N | Sport, Deutsch, Mathe und Physik.
4. Wie viele Stunden Musik hast du? | T | Am Montag.
5. Was ist dein Lieblingsfach? | S | Eine Stunde.
6. Warum hast du Angst? | D | Mein Lieblingsfach? Kunst.
7. Was für ein Tag ist heute? | A | Nein, Kunst.
8. Hast du in der sechsten Stunde auch Sport? | E | Sport.

Lösungswort:

5. 7. 1. 3. 4. 2. 8. 6.

3/10
← KB 6-7

	Mo	Di	Mi	Do	Fr
1.	Deutsch	Englisch	Mathe		
2.		Geschichte		Sozialkunde	Mathe
3.	Geografie		Deutsch	Englisch	Biologie
4.	Physik	Deutsch	Französisch	Deutsch	
5.	Sport	Informatik		Mathe	Englisch
6.		Geografie	Religion/Ethik		Musik

8 Wer sagt was? Schreib die Zahlen zu den Sätzen.

← KB 8-9

☐ Er hat heute Sport.   ☐ Was ist los? Hast du Angst?   ☐ Ich habe fünf Geschwister.

9 Ergänze: *habe – hast – hat*.

← KB 8-9 1. Bastian _____ heute sechs Stunden Unterricht.

2. Wie viele Stunden Deutsch _____ du?

3. ● _____ du Geschwister ▼ Ja, ich _____ zwei Brüder.

4. Mia ist allein zu Hause. Sie _____ Angst.

10 Hör zu. Ergänze die Sätze.

3/11
← KB 10

Ich bin _____ . Das ist meine _____ .

Und das ist mein _____ für Montag.

Ich habe heute _____ dann _____ , _____ und _____ .

Und in der fünften und sechsten _____ habe ich _____ .

Zu schwer? Die Purzelwörter helfen dir.

| cceeGhhist | denStu | oprSt | echlSu | adelnnnpStu | cDehstu | cehlrSü | cEghilns | acFhinörssz |

1 a   Was passt zusammen? Schreib die Zahlen ins Rechenrätsel.

← KB 1-3

A. Wie heißt die Neue in Klasse 6c? | 1 | Musik.
B. Wer ist Pauline? | 2 | Frau Lehmann.
C. Wie viele Freunde hat Tim? | 3 | Pauline.
D. Was hat Klasse 6c jetzt? | 4 | Drei Freunde, Max, Eva und Jan.
E. Wer kommt? | 5 | Tims Cousine.
F. Was spielt Frau Lehmann gut? | 6 | Super.
G. Wie findet Pauline Frau Lehmann? | 7 | Gitarre.

Rechenrätsel: __ + __ – __ – __ + __ + __ – __ = 6
A.   B.   C.   D.   E.   F.   G.

b   Mach Sätze aus Frage und Antwort.
Dann entsteht eine kleine Geschichte.
Schreib in dein Heft.

Die Neue in der Klasse 6c heißt …

2   Finde drei kleine Dialoge (immer zwei Teile). Schreib sie in dein Heft.

← KB 1-2

Was habt ihr heute in der ersten Stunde?   Was macht ihr in Kunst?   Habt ihr heute Kunst?

Kunst.   Wir malen.   Heute? Nein, wir haben am Mittwoch Kunst.

3 a   Was ist falsch? Streiche durch.

← KB 3-4

1. Wie viele Schüler sind/seid ihr?
2. Wir sind/seid zwölf Jungen und elf Mädchen.
3. Was macht/machen ihr in Sport?
4. Wir turnt/turnen und spielen/spielt Fußball.
5. Und in Englisch? Schreiben/Schreibt ihr viel?
6. Wir sprechen/sprecht und lesen/lest viel, aber wir schreiben/schreibt nich t so viel.

b   Schreib die Sätze richtig in dein Heft.

Meine Schule ist …

4 a   Und jetzt du. Beantworte die Fragen.

← KB 3-4

1. Wo ist deine Schule?   In _____

2. Wie viele Schüler seid ihr?   _____

3. Wie viele Jungen und Mädchen?   _____

4. Wie heißt dein/e Klassenlehrer/in?   _____

5. Wann habt ihr Deutsch?   _____

6. Was macht ihr in Deutsch?   _____

b   Schreib ganze Sätze in dein Heft.

5 **a** Ergänze die Tabelle.

← KB 5-6

	machen	arbeiten	lesen	sprechen	haben	sein
ich						bin
du	machst					
er/es/sie		arbeitet				
wir			lesen			
ihr				sprecht		
sie					haben	

b Schreib zehn Sätze in dein Heft.

Wir machen.../Du ...gern./Papa ...im .../ ...

ENTDECKE DIE GRAMMATIK

Ergänze die Tabelle und die Regel.

Infinitiv

hör-en		hören			sie/	
schreib-en	wir		ihr	schreibt	viele	
heiß-en						

wir: *Verb-Basis +* _____

ihr: *Verb-Basis +* _____

sie/viele: *Verb-Basis +* _____

Infinitiv:

wir: *Verb-Basis +* _____

sie (Plural):

---

6 **a** Schreib den Brief richtig in dein Heft.

← KB 5-6 Vergiss die Satzzeichen (.) und (,) nicht.

LIEBETANTEANNA
ICHBINDOCHJETZTINFRANKFURTMEINEKLASSEISTSEHRNETTWIRSINDELFJUNGENUND
FÜNFZEHNMÄDCHENWIRHABENVIERSTUNDENMATHEABERDASGEHTWIRHABENAUCH
VIERSTUNDENFRANZÖSISCHWIRSPRECHENFRANZÖSISCHABEREINJUNGESPRICHTIMMER
ENGLISCHDASISTKOMISCHWIRLESENUNDSCHREIBENUNDWIRSPIELENUNDLACHENVIEL
TSCHÜSSDEINEMARIA

b Tante Anna erzählt Onkel Pedro von dem Brief.
Schreib den Text in dein Heft.

Maria ist doch jetzt in .../
Marias Klasse ist.../Sie sind ...

1 Hör die Wörter und ergänze die Buchstaben. Schreib die Buchstaben ins Lösungswort.

3/12
← KB 2-3

1. Blei__s__tift
2. Bu___h
3. ___eft
4. Radierg___mmi
5. Ku___i
6. Ruck___ack
7. Bl___tt
8. Tas___he
9. Mäppc___en
10. Sch___re
11. Tur___schuhe

Lösungswort:

S										
1.	2.	3.	4.	5.	6.	7.	8.	9.	10.	11.

2 Was passt nicht? Streiche durch.

← KB 2-3

1. Mathematik: Lineal ▪ Sportsachen ▪ Block ▪ Bleistift
2. Französisch: Heft ▪ Buch ▪ Schere ▪ Füller
3. Kunst: Kuli ▪ Schere ▪ Farbstifte ▪ Blatt
4. Sport: Turnschuhe ▪ Mäppchen ▪ Tasche ▪ Sportsachen

3 Verbinde die Dominosteine.

← KB 2-3

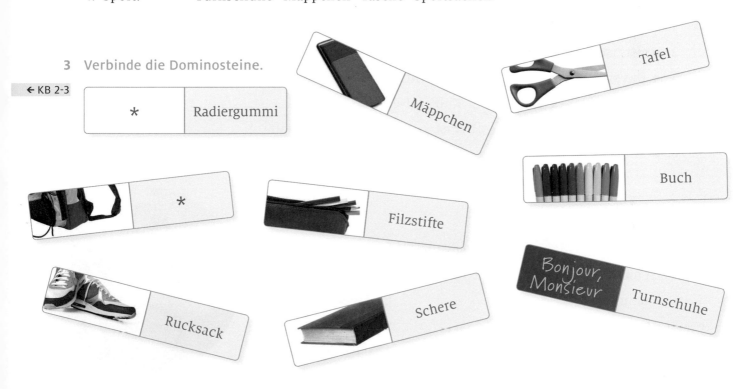

| * | Radiergummi |

Mäppchen

Tafel

*

Buch

Filzstifte

Rucksack

Schere

Turnschuhe

4 **a** Schreib die Wörter aus dem Domino an die richtige Stelle.

← KB 4-5

Das ist			Das sind
ein	ein	eine	---
Radiergummi			

b Schreib in jede Spalte noch ein passendes Wort.

5 Welche Antwort passt? Kreuze an. Schreib die Buchstaben ins Lösungswort.

← KB 4-5

1. ● Wo ist dein Heft?
- L ▲ Hier ist mein Heft.
- K ▲ Hier ist dein Heft.
- F ▲ Hier ist ein Heft.

2. ● Meine Tasche ist nicht da.
- S ▲ Wo ist meine Tasche?
- R ▲ Eine Tasche ist nicht da.
- K ▲ Hier ist eine Tasche.

3. ● Sind das deine Filzstifte?
- A ▲ Das sind Filzstifte
- I ▲ Ja, das sind meine Filzstifte.
- E ▲ Ja, das sind Filzstifte.

4. ● Das ist ein Block.
- U ▲ Nein, das ist ein Heft.
- O ▲ Ja, das ist ein Heft.
- A ▲ Nein, das ist mein Block.

Lösungswort:

2.	4.	1.	3.

6 Ergänze: *ein, eine* oder – .

← KB 4-5

1. ● Wo ist denn _____ Lineal? ▲ Hier.

2. ● Was ist das denn? ▲ _____ Tasche.

3. ● Das sind _____ Filzstifte. ▲ Wirklich?

4. ● Hier ist _____ Kuli. ▲ Nein, das ist _____ Füller.

5. ● Mein Heft ist nicht da. ▲ Hier ist _____ Blatt.

6. ● Sind das _____ Turnschuhe? ▲ Ja klar.

7 Finde den Weg.

← KB 6

Wo ist dein Heft?

Es ist nicht da. ←

Und dein Block?

Er ist auch nicht da.

Sehr gut! Hier ist ein Blatt.

Danke.

Wir lesen. Wo ist dein Füller?

Ich weiß nicht. Er ist nicht da.

Und ein Bleistift?

Auch nicht.

Sieh doch mal nach. Wo sind denn deine Sportsachen?

Sie ist zu Hause.

Oje!

Er ist nicht da.

Und mein Block?

Sie ist auch nicht da.

Aha! Hier ist ein Blatt.

Bitte.

Wir schreiben. Wo ist dein Füller?

Ich weiß nicht. Es ist nicht da.

Und eine Schere?

Ich auch nicht.

Sieh doch mal nach. Wo ist denn deine Tasche?

Sie sind zu Hause.

Super! Bravo!

8 **a** Was ist richtig? Was ist falsch? Kreuze an.

← KB 6-8

	richtig	falsch
① Nummer 1 ist eine Schere.	☐	☐
② Nummer 2 sind Turnschuhe.	☐	☐
③ Nummer 3 ist ein Buch.	☐	☐
④ Nummer 4 ist ein Bleistift.	☐	☐
⑤ Nummer 5 ist eine Tasche.	☐	☐

b Schreib Sätze in dein Heft.

> Nummer ... ist/sind ein/eine/– ...
> Nummer ... ist/sind kein/keine/keine

9 Korrigiere die Sätze. Schreib sie in dein Heft.

← KB 6-8

1. Paula ist ein Junge.
2. Papa ist eine Frau.
3. Leo ist ein Mädchen.
4. Mama ist ein Junge.
5. Opa ist ein Mädchen.
6. Eine Klasse ist eine Familie.
7. Oma ist eine Frau.
8. Timo und Tom sind Mädchen.

> 1. Paula ist kein ...

10 Schreib die Sätze richtig.

← KB 9-10

1. spielen ▪ Ihr ▪ möchtet ▪ Tennis _____.
2. möchte ▪ Ich ▪ mitspielen ▪ nicht _____.
3. Judo ▪ Der Junge ▪ lernen ▪ möchte _____.
4. hören ▪ Musik ▪ Wir ▪ möchten _____.
5. nicht ▪ möchte ▪ Jana ▪ schlafen _____.

ENTDECKE DIE GRAMMATIK

Schreib die Sätze 4 und 5 aus 10 in das Schema.
Ergänze die Regel.

	Position 2		Ende
Oma	möchte	Klavier	spielen.

Im Aussagesatz steht möcht- auf _____Position 2_____ und der Infinitiv am _____.

11 Lesen: ein Brief

Toledo, 3. Oktober

Liebe Tanja,

du weißt, wir haben eine neue Schülerin. Sie heißt Maria und kommt aus Spanien. Wir sind schon gute Freundinnen. Ich bin jetzt mit Maria in Spanien, bei Marias Oma. Wir haben doch jetzt zwei Wochen Ferien. Die Schüler hier haben keine Ferien. Jetzt gehe ich in Spanien in die Schule. Du sagst jetzt sicher, in den Ferien in die Schule gehen ist doof. Aber es ist super! Mathe auf Spanisch – da verstehe ich ziemlich viel. Biologie und Geschichte auf Spanisch, na ja! Sie haben auch zwei Stunden Deutsch. Das ist interessant! Und in Geografie lernen sie gerade alles über Deutschland, auf Spanisch natürlich. Die Schüler fragen mich dann etwas, zum Beispiel „Wie heißt ‚Fráncfort' auf Deutsch?" – „Frankfurt natürlich", antworte ich. „Frankfurt", wiederholen alle. Die Klasse ist wirklich nett. Ich finde Spanien super! Am Sonntag komme ich wieder nach Hause.

Bis dahin viele Grüße, Sofia

TIPP
Achte auf die Wörter, die du verstehst. Die anderen kannst du aus dem Kontext verstehen.

a Unterstreiche mit **blau** alles, was du verstehst. Siehst du? Du verstehst schon viel.

b Verstehst du die Sätze 1–4? Probier mal und kreuze an.

1. Wir haben zwei Wochen Ferien.
- a 14 Tage Unterricht.
- b 14 Tage keine Schule.

2. Mathe auf Spanisch
- a Sie sprechen Spanisch im Matheunterricht.
- b Sie sind in Spanien und machen Mathe.

3. Da verstehe ich viel.
- a Spanisch, kein Problem. Ich weiß viel.
- b Das ist interessant.

4. „Frankfurt" wiederholen alle.
- a „Frankfurt" antwortet die Klasse.
- b „Frankfurt" sagt die Klasse noch einmal.

12 Schreiben: eine E-Mail an die Partnerklasse

● ● ●

Partnerklasse gesucht!
Hallo! Wir sind die Klasse 7c aus Pilsen. Das ist in Tschechien. Wir sind zwölf Mädchen und dreizehn Jungen. Wir lernen Deutsch und Englisch. Wir haben drei Stunden Deutsch. Wir spielen oft in Deutsch. Das ist super. Was macht ihr in Deutsch? Spielt ihr auch? Wie viele Stunden Deutsch habt ihr? Wo seid ihr? In Deutschland? In Österreich? In der Schweiz? Schreibt bitte bald.
Tschüss, bis dann! Klasse 7c aus Pilsen

a Welche Informationen über die Klasse 7c findest du in der E-Mail? Unterstreiche mit **rot**.

b Was möchten sie über deine Klasse wissen? Unterstreiche die Fragen mit **blau**.

c Schreib Antworten auf die Fragen.

d Welche Informationen möchtest du noch geben? Die Sätze aus der E-Mail helfen dir.

e Bring die Sätze in die richtige Reihenfolge.

f Schreib einen Anfang und einen Schluss.

Hallo, ...
Tschüss / Bis dann / ...

bitte ankreuzen

hier falten

einen Stundenplan lesen

Was _____ heute ?

In der _____

_____ Physik ,

in der _____

_____ ,

in _____

_____ ,

in _____

_____ ,

in _____

_____ ,

und in _____

_____ ,

Wann _____ ihr Sport ?

Am _____ .

Was habt ihr heute

In der ersten Stunde

Physik

in der zweiten

Stunde …

in der dritten

Stunde …

in der vierten

Stunde …

in der fünften

Stunde …

und in der sechsten

Stunde …

Wann habt ihr Sport

Am Montag

Zeit Stunde	Montag	
1.	Physik	
2.	Musik	
3.	Deutsch	
4.	Kunst	
5.	Mathe	
6.	Sport	

einen Vorschlag machen und ablehnen

Wir möchten _____

_____

_____

Möchtest _____

_____ ?

Hast _____ ?

Das ist _____ , aber

_____

_____

Ich habe _____ .

Ich möchte _____

_____

_____

Wir möchten heute

Tennis spielen /

Hausaufgaben machen / …

Möchtest du mitspielen /

mitmachen / …

Hast du Lust

Das ist nett, aber …

(ich bin müde / gehe

nach Hause / …)

Ich habe keine Lust

Ich möchte (nur

noch) schlafen /

nach Hause gehen / …

7 8 9

hier falten

bitte ankreuzen

Schulfächer

Deutsch, Englisch

Französisch

Mathematik, Physik

Chemie, Informatik

Biologie, Geschichte

Geografie,

Sozialkunde/Politik

Religion/Ethik, Sport

Kunst, Musik

_____

_____

_____

_____

_____

_____

_____

_____

Wochentage

Montag, Dienstag

Mittwoch, Donnerstag

Freitag, Samstag

Sonntag

_____

_____

_____

_____

Aktivitäten in der Schule

sprechen, lesen

schreiben, malen

zeichnen, turnen

laufen, rechnen, spielen

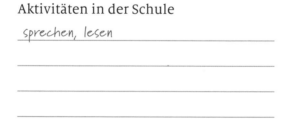

sprechen, lesen _____

_____

_____

_____

Schulsachen

Bleistift, Füller

Kuli, Radiergummi

Block, Rucksack

Heft, Buch

Lineal, Blatt

Mäppchen, Tasche

Schere, Tafel

Farbstifte, Filzstifte

Sportsachen,

Turnschuhe

_____

_____

_____

_____

_____

_____

_____

_____

_____

_____

1 Kommunikation: Schreib die Sätze an die richtige Stelle.

| Was lernst du da? | Am Montag. | Was möchtest du essen? | Möchtest du mitspielen? |

| Nein, ich habe keine Lust. | Ich möchte Pizza. | Was machst du jetzt? | Ach, ich bin so müde. |

| Ich gehe nach Hause. | Englisch. | Wann habt ihr Sport? | Was ist denn los? |

_____
_____

_____
_____

_____ /12 Punkte

2 Wortschatz: Was kommt vorher? Was kommt dann? Schreib die Wochentage.

1. _____Dienstag_____   Mittwoch   _____

2. _____   Sonntag   _____

3. _____   Freitag   _____

_____ /5 Punkte

3 Wortschatz: Was passt nicht? Streiche durch.

1. Filzstifte ▪ Bleistift ▪ Schere ▪ Farbstifte
2. Füller ▪ Tafel ▪ Kuli ▪ Bleistift
3. Radiergummi ▪ Heft ▪ Blatt ▪ Block
4. Rucksack ▪ Tasche ▪ Mäppchen ▪ Lineal
5. Sportsachen ▪ Turnschuhe ▪ Buch ▪ Sporttasche

_____ /5 Punkte

4 Wortschatz: Schreib die Schulfächer ins Kreuzworträtsel.

_____ /6 Punkte

5 Grammatik: Ergänze die Sätze mit den Formen von *haben, sein, möcht–*.

1. ● Was _____ ihr? ▲ Wir _____ Saft.

2. ● _____ du heute Biologie? ▲ Nein, ich _____ Geografie.

3. ● Wie alt _____ ihr? ▲ Wir _____ zwölf Jahre alt.

_____ /6 Punkte

6 Grammatik: Schreib die Sätze richtig.

1. Fußball ▪ Ich ▪ spielen ▪ möchte _____ .

2. gehen ▪ möchte ▪ jetzt ▪ Jan _____ .

3. Du ▪ lesen ▪ möchtest ▪ heute _____ .

_____ /3 Punkte

7 Grammatik: Schau das Bild genau an und ergänze die Sätze.

1. Da ist _____ Buch, aber _____ Schere.

2. Da ist _____ Rucksack und _____ Tasche.

3. Da ist _____ Tafel. Da ist auch _____ Lineal.

4. Da ist _____ Block und auch _____ Füller.

5. Da sind _____ Filzstifte.

_____ /9 Punkte

8 Grammatik: Was ist falsch? Streiche durch.

1. Sprecht/Spricht ihr Englisch?   3. Die Schüler gehe/gehen mach Hause.
2. Wir schlaft/schlafen viel.   4. Ihr essen/esst gern Pizza.

_____ /4 Punkte

50–40 Punkte ☺	39–25 Punkte 😐	24–0 Punkte ☹	gesamt _____ /50 Punkte
Super. Du bist fit!	Na ja. Du musst noch üben.	Oje! Noch viel üben!	

Sieh nach, wie gut du schon bist ...

Ausflug

4

a Schreib die Wörter an die richtige Stelle.

Banane · November · Pizza · Juli · Auto
Sportfest · Theater · Juni · Salat
Oktober · September · Bus · Dezember

Besondere Tage

_____

_____

Monate

_____

_____

_____

_____

_____

Essen

_____

_____

Fahrzeuge

_____

_____

b Du kennst schon viele Wörter.

Timo geht in die

_____

Klasse.

Ordinalzahlen

in der _____ersten_____ Stunde Mathe

in der _____ Stunde Musik

in der _____ Stunde Deutsch

in der _____ Stunde Kunst

in der _____ Stunde Physik

in der _____ Stunde Sport

Zeit Stunde	Montag
1.	Mathe
2.	Musik
3.	Deutsch
4.	Kunst
5.	Physik
6.	Sport

10 Was passiert im Schuljahr?

← KB 1-2

1 a Schreib die Wörter ins Kreuzworträtsel.

b Welche Glückwunschkarten sind das? Ergänze das Fest.

Frohe _____   Frohe _____   Alles Gute zum _____

2 Was kommt vorher? Was kommt dann? Schreib die Monate.

← KB 3

1. _____ Oktober _____November_____

2. _____ März _____

3. _____ Juli _____

4. _____ April _____

5. _____ Dezember _____

3 Korrigiere die Sätze.

← KB 3-4

1. Weihnachten ist immer im Juli. _Nein, im ..._____ .

2. Karneval ist im Oktober und November. _____ .

3. Ostern ist im August oder September. _____ .

4. Silvester ist immer im Mai. _____ .

4 Schreib das Datum in Worten.

← KB 5

① Heute ist der _____ Mai.

② Heute ist der _____ Mai.

③ Heute ist der _____ _____ .

④ Heute ist der _____ _____ .

3. Mai ① **19. Mai** ②

20. Juni ③ **30. Mai** ④

Zu schwer? Die Silben helfen dir.

| drit | neun | zwan | zehn | drei | zig | ßig | te | te | ste | ste |

5 Lies die Sätze 1–10 und füll das Logical aus. Beantworte dann die Fragen.

← KB 6

1. Daniel hat am vierten Februar Geburtstag.
2. Tom geht in die achte Klasse.
3. Mario hat am siebzehnten März Geburtstag und mag Ostern gern.
4. Sandro spielt Basketball und trinkt gern Cola.
5. Ein Junge trinkt gern Limo. Er geht in die sechste Klasse und spielt Gitarre.
6. Ein Junge geht in die siebte Klasse. Er mag Weihnachten und trinkt Saft.
7. Sandro hat nicht am achten September Geburtstag.
8. Daniel spielt nicht Fußball.
9. Ein Junge geht in die neunte Klasse und mag Karneval.
10. Ein Junge trinkt gern Tee.

Name				
geht in die … Klasse				
hat am … Geburtstag				
mag …				
spielt …				
trinkt gern …				

Wer hat am neunten Juli Geburtstag? Wer mag Silvester? Wer spielt Klavier?

6 a Geburtstag: Ergänze das Datum in Worten.

← KB 7

1. Lena hat im Juni Geburtstag. – Nein, am ___zwölften___ ___Mai___ (12. Mai)

2. Eva hat im August Geburtstag. – Nein, am _____ _____ (20. Juli)

3. Linus hat im März Geburtstag. – Nein, _____ _____ _____ (10. April)

4. Jan hat im Juli Geburtstag. – Nein, _____ _____ _____ (30. Juni)

5. Pia hat im Mai Geburtstag. – _____ _____ _____ _____ (17. Mai)

b Und jetzt du: Wann hat deine Familie Geburtstag?

Mein/Meine ……… hat am ……… Geburtstag.
Tante/Onkel ……… hat …

7 **a** Was gehört zusammen? Mach Pfeile.

← KB 8-10

 H    S    E    S    C

1. drei Uhr   **2.** Viertel vor vier   **3.** zwanzig nach zwei   **4.** halb drei   **5.** Viertel nach vier

b Schreib die Buchstaben aus **a** ins Lösungswort und zeichne die Zeiger.

Lösungswort: Es ist halb [ ][ ][ ][ ][ ]
　　　　　　　　　　1.　2.　3.　4.　5.

8 Schreib die Uhrzeiten.

← KB 8-10

 1    2    3    4    5

1. Es ist _____

2. _____

3. _____

4. _____

5. _____

9 Was passt zusammen? Schreib die Buchstaben ins Lösungswort.

← KB 8-10

1. Wann kommt Max heute?　　　　　　　E Am sechsten Mai.
2. Wie spät ist es?　　　　　　　　　　B Der vierte Mai.
3. Kommt Tante Pia um halb drei?　　　N Ja, um halb zwei.
4. Was für ein Tag ist heute?　　　　　I Halb sechs.
5. Wann hat Jana Geburtstag?　　　　　E Um halb drei? Nein, später.
6. Du kommst doch heute früher, oder?　S Um halb vier.

Lösungswort: ▼ Wann kommst du nach Hause?
　　　　　　● Um [ ][ ][ ][ ][ ][ ]
　　　　　　　　1.　2.　3.　4.　5.　6.

10 Finde den Weg.

← KB 11-12

Hallo, Mia. Wir spielen heute Volleyball. Spielst du mit?

Ach nein. ←	Na und?
Warum nicht? Hast du keine Lust?	Warum? Hast du Lust?
Also gut. Ich darf nicht.	Na ja, ich darf nicht.
Warum darfst du denn nicht mitspielen?	Warum möchtest du denn nicht mitspielen?
Ich habe eine Eins in Englisch.	Ich habe eine Sechs in Englisch.
Und was spielst du heute?	Und was machst du heute?
Ich lerne Englisch. Klar!	Ich darf nicht Englisch lernen.

11 **a** Ergänze die Tabelle.

← KB 11-12

	ich	du	er/es/sie	wir	ihr	sie *(Plural)*
dürfen						
möcht-						

b Schreib Sätze in dein Heft.

> Ich möchte heute Tennis spielen.
> Aber ich darf nicht. ...

12 **a** Ergänze die E-Mail. Schreib die Zahlen ins Rechenrätsel.

← KB 11-12

●●●

Liebe Oma,
du weißt, ich (a) nicht gern Sport in der Schule. Sport bei Frau Meier ist so doof. Wir (b) Fußball spielen, aber wir (c) nicht. Immer nur Gymnastik! Aber jetzt (d) wir Frau Weber. Sie ist so nett. Zum Beispiel: Ich (e) Basketball spielen, Tina auch. Aber die Klasse (f) Volleyball spielen. Und was (g) wir? Wir (h) Basketball und Volleyball spielen. Na ja, wir (i) auch manchmal Gymnastik. Aber ich (j) Gymnastik doof. Ich (k) dann manchmal Pause machen. Wir (l) Sport bei Frau Weber toll.
Liebe Grüße auch an Opa,
Deine Laura

[1] mache   [2] machen (2x)   [3] möchten   [4] möchte (2x)   [5] darf   [6] dürfen (2x)

[7] finde   [8] finden   [9] haben

Rechenrätsel: $\underline{1}$ + __ + __ + __ − __ − __ + __ + __ + __ + __ − __ − __ = 15
   a   b   c   d   e   f   g   h   i   j   k   l

b Opa möchte wissen, was Laura schreibt.
Wandle den Text um und schreib in dein Heft.
Zu schwer? ich → Laura, wir → sie

> Das sagt Oma: „Du weißt, Laura macht nicht so gern ... "

1 Was gehört zusammen? Mach zehn Paare.

← KB 1

| Stadt | Pferd | Bus | Straße | Wald | Auto | Tiere | Baum | Fluss |

| Haus | Schiff | See | Garten | Dorf | Insel | Blumen |

1. _____Auto und Bus_____ oder _____Auto und Straße_____

2. _____und_____ _____

3. _____ _____

4. _____ _____

5. _____ _____

6. _____ _____

2 Schreib die Wörter aus 1 in die Tabelle.

← KB 1

	Das ist		Das sind
ein	ein	eine	---

3 Schreib die Farben ins Kreuzworträtsel.

← KB 2

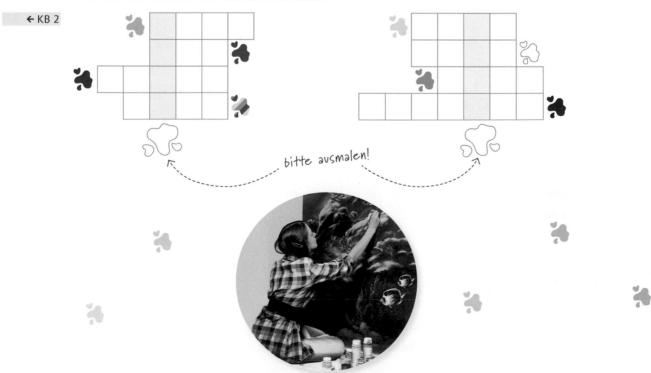

bitte ausmalen!

4 **a** Ergänze den Dialog. Hör den Dialog zur Kontrolle.

3/13 Zu schwer? Dann hör zuerst den Dialog.

← KB 3-4

| Tut mir leid. Der Block ist nicht da. | Ich weiß nicht. | Danke. | Er ist aber nicht da. |

▲ Tom, wo ist dein Block?

◆ _____

▲ Wie bitte? Du weißt nicht?

◆ _____

▲ Das gibt's doch nicht!

◆ _____

● Hier ist ein Blatt.

◆ _____

b Schreib noch einen Dialog mit:

Farbstifte → Filzstifte

5 Ergänze: *ein/der – ein/das – eine/die – -/die.*

← KB 3-4

1. ▲ Was ist das denn? _____ Buch?

   ◆ Ja. Und _____ Buch ist super.

2. ▲ Wer ist das denn? _____ Lehrerin?

   ◆ Ja klar. Frau Dorfer, _____ Mathelehrerin.

3. ▲ Wo sind denn nur _____ Turnschuhe?

   ◆ Hier sind _____ Turnschuhe. Sind das deine?

4. ▲ Ist das _____ Füller oder _____ Kuli?

   ◆ _____ Füller. _____ Füller schreibt sehr gut.

6 **a** Schreib die Wörter an die richtige Stelle.

← KB 3-4

| Auto | Blumen | ~~Bus~~ | Haus | Flasche | Rucksack | Straße | Tiere |

der	das	die	die/viele
__ u __ __ a __ __	__ u __ o	__ __ a __ __ __ __	__ __ u __ __ __
B u S	__ __ u __	__ __ __ a __ __	__ __ e __ e

b Schau die Bilder an. Schreib Sätze in dein Heft. *Der Rucksack ist braun./...*

7 a Was passt zusammen? Verbinde.

← KB 5-6

1	He, warte mal!		A	Die sind aber schön!
2	Sei ruhig!		B	Ich komme ja schon.
3	Hier, nimm!		C	Hier bitte.
4	Gib her!		D	Was ist denn noch?
5	Komm mal bitte!		E	Ja, ja. Pst!
6	Sieh mal!		F	Danke.

b Welche Sätze passen zu dem Bild? Schreib die Zahl und den Buchstaben.

_____ _____

8 Ergänze die Sätze 1–6 aus 7a links in die Tabelle. Schreib dann rechts die Sätze im Plural.

← KB 5-6

1.	He, warte mal!	He, wartet mal!
2.		
3.		
4.		
5.		
6.		

ENTDECKE DIE GRAMMATIK

Bilde den Imperativ.

Imperativ Singular 🧍			Imperativ Plural 🧍🧍		
~~du~~ komm~~st~~	→	Komm!	~~ihr~~ kommt	→	Kommt!
~~du~~ wart~~est~~	→	Warte!	~~ihr~~ wartet	→	Wartet!
du gibst	→	!	ihr gebt	→	!

9 Schreib drei kleine Dialoge.

← KB 7-8

Nein, links, da ist das Dorf.   Oje, was machen wir denn dann?   Na gut.

Komm, wir gehen geradeaus.   Ich auch nicht.   Ja, richtig.

1. ■ Ich weiß den Weg nicht.   **2.** ■ Hier rechts, oder?   **3.** ■ Wohin gehen wir jetzt?

● _____   ● _____   ● _____

■ _____   ■ _____   ■ _____

1 Welche Antwort passt? Kreuze an. Schreib die Buchstaben ins Lösungswort.

← KB 2

1. Wo bist du?
- [E] Hier.
- [A] Wo?
- [O] Ich.

2. Ist etwas passiert?
- [K] Nein, etwas.
- [G] Nein, keine Angst.
- [N] Nein, das ist es.

3. Was ist passiert?
- [K] Nein.
- [G] Ja.
- [H] Nichts.

4. Wann kommst du?
- [B] Ich.
- [L] Bald.
- [F] Nicht.

5. Kommt ihr bald?
- [U] Nein, nichts.
- [A] Nein, bald.
- [I] Ja, gleich.

6. Wer ist wir?
- [P] Jan und du.
- [C] Jan und ich.
- [R] Jan.

Lösungswort: ☐ ☐ ☐ ☐ ☐ ☐
                2. 4. 1. 5. 6. 3.

2 Was passt nicht? Streiche durch.

← KB 3

1. Apfel ▪ Banane ▪ Käse ▪ Obst

2. Würstchen ▪ Kartoffel ▪ Fisch ▪ Bratwurst

3. Brot ▪ Pizza ▪ Brötchen ▪ Salat

3 **a** Essen: Finde sechs Wörter im Plural.

← KB 3

A	D	F	W	B	H	K	E	L	I	T	Ä
N	X	W	Ü	R	S	T	C	H	E	N	P
Ä	S	B	R	Ö	T	C	H	E	N	K	F
L	Ü	C	S	J	T	Z	U	F	O	P	E
K	A	R	T	O	F	F	E	L	N	B	L
X	H	Z	E	B	A	N	A	N	E	N	I

b Partnerübung: Schreib Fragen für deinen Partner auf ein Blatt.
Tauscht die Blätter und beantwortet die Fragen.

Frage	Antwort
Isst du gern...?	Ja/Nein, ich esse (nicht) gern...

4 Hör zu und kennzeichne die Wörter: langer Vokal = ‿ und kurzer Vokal = •

3/14

← KB 4

e → nehmt ▪ es ▪ sechs ▪ gebt ▪ jetzt

a → Ball ▪ Stadt ▪ Tag ▪ klar ▪ Blatt ▪ ja ▪ acht ▪ da

e → See ▪ nett ▪ Weg ▪ schnell ▪ Heft ▪ Tee ▪ zehn ▪ rechts

i → Fisch ▪ Schiff ▪ gib ▪ sie ▪ links ▪ wie ▪ nimm ▪ liest

o → wo ▪ komm ▪ Brot ▪ Sport ▪ Dorf ▪ rot ▪ froh ▪ toll

u → du ▪ Buch ▪ Fluss ▪ Lust ▪ Wurst ▪ gut ▪ bunt ▪ Uhr

5 **a** Was passt zusammen? Schreib die Buchstaben ins Lösungswort.

← KB 5-7

1. Hast du die Flasche?   U | Hier ist er.
2. Möchtest du den Apfel oder die Banane?   M | Paula.
3. Wo ist der Kartoffelsalat?   E | Nein, das ist mein Brötchen.
4. Wer hat den Kartoffelsalat?   B | Nein, die Flasche ist im Bus.
5. Gib mir bitte das Brötchen da.   N | Ich möchte den Fisch.
6. Der Fisch ist fertig.   L | Den Apfel, bitte.

Lösungswort: Wer hat die ☐ ☐ ☐ ☐ ☐ ☐ ?

                   1.   2.   3.   4.   5.   6.

b Schreib die Fragen und Antworten in dein Heft und schreib noch einen Teil dazu.

▲ Hast du die Flasche?
◆ Nein, die Flasche ist im Bus.
▲ Schade.

6 **a** Was ist falsch? Streiche durch.

← KB 5-7

1. Wann kommt der/den Bus?   6. Isst du der/den Käse noch?
2. Wie findest du der/den Sportlehrer?   7. Möchtest du der/den Füller?
3. Wo wohnt der/den Sportlehrer?   8. Ist das der/den Rucksack von Mia?
4. Hast du der/den Bleistift?   9. Wie heißt der/den Fluss da?
5. Wer hat der/den Radiergummi?   10. Woher ist der/den Junge?

b Schreib die Fragen richtig in dein Heft und schreib auch Antworten dazu.

ENTDECKE DIE GRAMMATIK

Ergänze die Artikel und die Regel.

	Nominativ	Akkusativ
maskulin		
neutral	das	
feminin		
Plural		die

Wo ist _der_ Apfel?   Ich möchte _____ Apfel.
Hier ist _____ Brot.   Du hast _____ Brot.
_____ Tasche ist rot.   Nimm _____ Tasche.
_____ Blumen sind bunt.   Gib mir _____ Blumen.

} *sein* + _____   } *möcht-/haben/...* + _____

7 **a** Ergänze die Tabelle.

← KB 5-7

	Fisch	Buch	Brot	Salat	Schere
Hier ist	der Fisch				
Hast du ... ?	den Fisch				
Nimm ... !					
Wo ist ... ?					
Ich möchte					

b Schreib fünf Fragen und fünf Sätze in dein Heft.

8 Schreiben: eine E-Mail an Tante Paula

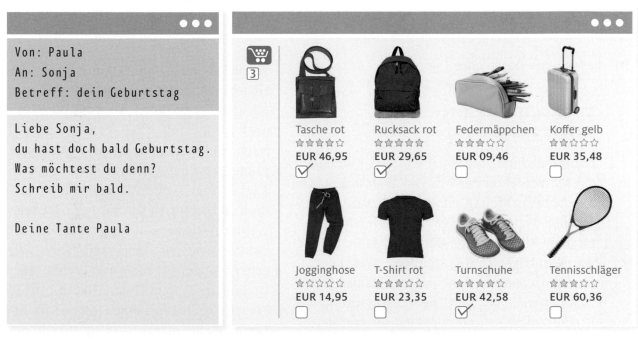

Von: Paula
An: Sonja
Betreff: dein Geburtstag

Liebe Sonja,
du hast doch bald Geburtstag.
Was möchtest du denn?
Schreib mir bald.

Deine Tante Paula

Tasche rot ☆☆☆☆☆ EUR 46,95 ☑
Rucksack rot ☆☆☆☆☆ EUR 29,65 ☑
Federmäppchen ☆☆☆☆☆ EUR 09,46 ☐
Koffer gelb ☆☆☆☆☆ EUR 35,48 ☐
Jogginghose ☆☆☆☆☆ EUR 14,95 ☐
T-Shirt rot ☆☆☆☆☆ EUR 23,35 ☐
Turnschuhe ☆☆☆☆☆ EUR 42,58 ☑
Tennisschläger ☆☆☆☆☆ EUR 60,36 ☐

a Lies Tante Paulas E-Mail. Unterstreiche die wichtigste Information mit rot.
Warum schreibt Tante Paula? Unterstreiche den Satz.

Sonja möchte viele Sachen zum Geburtstag. Sie hat die Sachen im
Internet-Katalog angezeichnet. ☑

b Schreib Sätze in dein Heft. Verwende die Informationen
aus der E-Mail und der Internet-Seite.

Sonja dankt Tante Paula für die ... / Sie hat am 9. Juni ... / Sie möchte viele Sachen, wie im Katalog.
Sie möchte die Tasche, ... und ... / Die Tasche ist rot, ... auch ... / Sonjas Lieblingsfarbe ist ...
Sie dankt noch einmal und grüßt Tante Paula

c Schreib Sonjas E-Mail. Formuliere die Sätze um.
Schreib die E-Mail in dein Heft. Kontrolliere:

Kommt immer die Ich-Form vor?
Sind die Artikel richtig (Nominativ, Akkusativ)?
Sind die Sätze in einer sinnvollen Reihenfolge?
Gibt es einen Anfang und einen Schluss?

Liebe Tante ..., / danke für ... / Ich habe ...

9 a Hören: Hör die drei Szenen. Was haben sie gemeinsam?

3/15-17 Die drei Szenen spielen ☐a zu Hause. ☐b am Telefon. ☐c in der Schule.

b Hör die Szenen einzeln und füll die Tabelle aus.

3/15-17

	Wer spricht?	Anruf für …?	Warum?	Datum
Szene 1			*möchte*	
Szene 2				
Szene 3				

c Hör die Szenen noch einmal einzeln und beantworte die Fragen:

3/15-17 Szene 1: Wie lange möchte Tante Helen bleiben?

Szene 2: Wie heißt die andere Schule?

Szene 3: Was für ein Tag ist der 12. Mai? Wann ist die Geburtstagsparty?

10 Lesen: eine Geschichte

TURNSCHUHE SIND NICHT IMMER GUT

1 „Hört mal, bitte", sagt Herr Wolf. Herr Wolf ist der Klassenlehrer der 7 c. „Am 25. Mai, also am nächsten Freitag, ist Ausflug." „Was machen wir denn?", fragt Theo. „Wir fahren
5 mit dem Bus nach Steindorf. Und dann wandern wir etwa fünf Stunden." „Was? Fünf Stunden wandern? Oje!", jammert Tanja. „Nun hab dich nicht so," sagt Theo. „Sport macht fit." „Wir machen unterwegs Pause," sagt Herr
10 Wolf. „ Nehmt also bitte zu essen und zu trinken mit. Und ganz wichtig: Zieht gute Schuhe an. Wir gehen immerhin fünf Stunden."

2 Am Freitag kommen die Schüler um acht Uhr
15 in die Schule. Der Bus wartet schon. Sie fahren nach Steindorf. Dann geht es los. Tanja zeigt Theo ihre Schuhe. „Sieh mal Theo. Meine Turnschuhe. Sind sie nicht super? Und ganz neu." Theo sagt: „Sag mal, bist du

20 verrückt? Neue Schuhe! Damit kannst du sicher nicht fünf Stunden wandern." „Quatsch", sagt Tanja, „Turnschuhe sind doch gut."

3 Nach zwei Stunden machen sie die erste
25 Pause. Tanja hat Probleme mit den Schuhen. Aber sie sagt nichts. Alle essen und trinken: Brote, Brötchen, Obst. Und Saft oder Tee.

4 Wieder zwei Stunden später machen sie die zweite Pause. „Na, Tanja", fragt Theo, „wie
30 geht es dir denn?" Tanja sagt nichts. „He, was ist denn los?", fragt Theo. „Hier nimm", sagt Theo und gibt Tanja eine Flasche Saft. Aber Tanja möchte nichts trinken. „Bist du müde?", fragt Theo. Tanja sagt nichts. „Ah, ich
35 verstehe," sagt Theo, „deine Schuhe. Lass mal sehen." Theo zieht Tanja die Turnschuhe aus. Oje!

5 Da kommt Herr Wolf. Auch er sagt „oje" und holt Pflaster. Jetzt hat Tanja keine großen
40 Probleme mehr. Sie steckt die Schuhe in die Tasche. Noch eine Stunde wandern, ohne Schuhe! Na ja.

a Lies den Titel. Worum geht es in der Geschichte?

TIPP
Wenn der Titel dir nicht hilft, lies den ersten Abschnitt.

b Lies den ersten Abschnitt. Jetzt weißt du, worum es geht. Und? Hast du recht?

c Lies den ganzen Text. Unterstreiche mit blau alles, was du verstehst. Siehst du? Du verstehst schon viel.

d Finde für jeden Abschnitt eine Überschrift. Das hilft dir beim Verstehen.

bitte ankreuzen

hier falten

sich entschuldigen

_____ !

_____ bitte ___ !

_____ .

Entschuldigung

Entschuldige bitte

Tut mir leid

das Datum erfragen und nennen und einen bestimmten Tag erfragen

Was _____

_____ ?

_____ .

Wann hat Thea Geburtstag _____ ?

_____ .

7. Mai

Was für ein Tag ist

heute

Der siebte Mai

Wann hat Thea Geburtstag

Am siebten Mai

nach der Uhrzeit fragen

Wie _____ ?

_____ .

Wann _____ kommt der Bus ___ ?

Um _____ .

_____

_____

_____

Wie spät ist es

(Es ist) ein Uhr

Wann kommt der Bus

Um acht (Uhr)

Viertel nach acht

halb neun

Viertel vor neun

einen Weg beschreiben

Wohin gehen wir _____ ?

→ _____ .

← _____ .

↑ _____

Wohin gehen wir

Nach rechts

Nach links

Geradeaus

Ordinalzahlen

1 – 1.   eins – der erste _____

3 – 3.   drei – der _____

18 – 18. _____ –

_____

20 – 20. _____ –

_____

30 – 30. _____ –

_____

eins – der erste

drei – der dritte

achtzehn –

der achtzehnte

zwanzig –

der zwanzigste

dreißig –

der dreißigste

hier falten →

bitte ankreuzen

Monate

Januar, Februar

März, April

Mai, Juni, Juli

August, September

Oktober, November

Dezember

_____

_____

_____

_____

_____

_____

Feste und besondere Tage

Weihnachten

Ostern

Geburtstag

Ausflug

Sportfest

Theater

_____

_____

_____

_____

_____

Natur und Umgebung

Baum, Wald, Fluss

See, Insel, Haus

Tier/Tiere, Pferd

Blume/Blumen

Garten, Straße

Auto, Bus, Schiff

_____

_____

_____

_____

_____

Farben

rot, blau, grün

gelb, braun, schwarz

weiß, lila, bunt

_____

_____

_____

Essen

Salat, Kartoffelsalat

Käse, Fisch, Brot

Würstchen, Brötchen

Wurst, Kartoffel(n),

Obst: Apfel/Äpfel

Banane, Bananen

_____

_____

_____

_____

_____

1 Kommunikation: Schreib die Sätze an die richtige Stelle.

| Was für ein Tag ist heute? | Wann hat Jan Geburtstag? | Der achte Juni. | Halb fünf. |

| Kommst du mit? | Entschuldige. Hier bitte. | Am elften Mai. | Wie spät ist es? |

| Wann kommt Tennis? | Gib her! | Nein, ich bin müde. | Um drei. |

_____ /12 Punkte

2 Wortschatz: Wie spät ist es? Schreib die Uhrzeit.

 1. _____

 2. _____

 3. _____

 4. _____

_____ /4 Punkte

3 Wortschatz: Schreib die Wörter an die richtige Stelle.

| Apfel | Baum | Pferd | Bus | Fluss | Ostern |

1. Weihnachten _____   4. Wald _____

2. See _____   5. Obst _____

3. Tier _____   6. Auto _____

_____ /6 Punkte

4 Wortschatz: Finde die sechs Monate und schreib sie an die richtige Stelle.

K	J	O	D	E	Z	E	M	B	E	R
A	U	G	U	S	T	Z	Ä	P	D	M
M	N	J	A	N	U	A	R	Ü	T	A
F	I	S	B	Ö	C	H	Z	L	N	I

1. _____ 6. _____

3. _____ 8. _____

5. _____ 12. _____

_____ /6 Punkte

5 Grammatik: Ergänze links den Imperativ im Singular und rechts den Imperativ im Plural.

	He, Tina!	He, Jonas und Theo!
1.		Kommt mal bitte!
2.	Warte mal!	
3.		Seht mal!
4.	Sei ruhig!	

_____ /4 Punkte

6 Grammatik: Ergänze die richtige Form von *dürfen*.

1. Wir _____ heute Tennis spielen.

2. _____ du mitkommen?

3. Ihr _____ nicht so spät nach Hause kommen.

4. Gabriel _____ Karate machen.

5. Ich _____ nicht mitspielen.

_____ /5 Punkte

7 Grammatik: Was passt zusammen? Kreuze an.

	der Fisch	den Salat	das Brot	die Wurst	die Äpfel
Wer hat … ?		X			
Wo ist … ?					
Wo sind … ?					

_____ /7 Punkte

44–33 Punkte ☺	32–22 Punkte 😐	21–0 Punkte ☹	gesamt _____ /44 Punkte
Super. Du bist fit!	Na ja. Du musst noch üben.	Oje! Noch viel üben!	Sieh nach, wie gut du schon bist …

Lernwortschatz !

die Gitarre, -n _____

die Jeans, - _____

die Pizza, -s _____

das Telefon, -e _____

das Paket, -e _____

der Zirkus, -se _____

der Zoo, -s _____

der Supermarkt, ̈-e _____

die Disco, -s _____

die Information, -en _____

die Post, (nur Sg.) _____

die Bibliothek, -en _____

der Meter (m), - _____ drei Meter

der Kilometer (km), - _____ zwei Kilometer

das Gramm (g), - _____ zehn Gramm

das Kilogramm (kg), - _____ zehn Kilogramm

Länder

Deutschland ▬   Österreich ▬   die Schweiz ✚   Liechtenstein ▬

_____   _____   _____   _____

in _____ In Deutschland spricht man Deutsch.

ja _____ ↔ nein

nein _____ ↔ ja

das Quiz, - _____ Musik-Quiz

die Musik, (nur Sg.) _____ Emmas Musik

Hallo _____ Hallo, Hanna.

heiße → heißen _____ Ich heiße Heike.

heißt → heißen _____ Wie heißt du?

bist → sein _____ Wer bist du?

bin → sein	_____	Ich bin Heiko.
und	_____	Heike und Heiko
du	_____	Und du?
ich	_____	Ich bin Heiko.
wie	_____	Wie heißt du?
wer	_____	Wer bist du?
Na so was!	_____	Heike und Heiko! Na so was!

Begrüßungen

6.00 7.00 8.00 9.00 10.00 11.00 12.00 13.00 14.00 15.00 16.00 17.00 18.00 19.00 20.00 21.00

Guten Morgen!
_____

Guten Tag!
_____

Guten Abend!
_____

die Frau, -en	_____	Guten Tag, Frau Weiß.
der Herr, -en	_____	Guten Abend, Herr Held.
die Karte, -n	_____	meine Karte, deine Karte

Zahlen von 1 bis 20

eins 1
_____

zwei 2
_____

drei 3
_____

vier 4
_____

fünf 5
_____

sechs 6
_____

sieben 7
_____

acht 8
_____

neun 9
_____

zehn 10
_____

elf 11
_____

zwölf 12
_____

dreizehn 13
_____

vierzehn 14
_____

fünfzehn 15
_____

sechszehn 16
_____

siebzehn 17
_____

achtzehn 18
_____

neunzehn 19
_____

zwanzig 20
_____

die SMS, - _____

dran sein _____ Du bist dran.

richtig _____ ↔ falsch

falsch _____ ↔ richtig

Lektion 2 Das Rockkonzert

oder _____ Heißt du Sara oder Maria?

der Name, -n _____ Name: Hanna.

die Pause, -n _____

eine Meinung sagen

super
_____

toll
_____

gut
_____

nicht so gut
_____

Na ja.
_____

Es geht.
_____

blöd
_____

doof
_____

findest → finden _____ Wie findest du Gajo?

finde → finden _____ Ich finde Gajo super.

magst → mögen _____ Magst du Gajo?

mag → mögen _____ Ich mag Pop.

auch _____ Magst du auch Techno?

was _____ Was magst du?

die Frage, -n _____ ↔ Antwort

die Antwort, -en _____ ↔ Frage

Lektion 3 Nach dem Konzert

am Kiosk _____

der Saft, ⸚e _____

der Kaffee, -s _____

der Tee, -s _____

das Wasser/
Mineralwasser, (nur Sg.) _____

die Limo, -s = die Limonade, -n _____

die Cola, -s _____

die Milch, (nur Sg.) _____

möchtest → möcht- _____ Möchtest du Milch?

also	_____	Also, was möchtest du?
möchte → möcht-	_____	Ich möchte Milch.
bitte	_____	↔ danke
danke	_____	↔ bitte
zweimal	_____	Zweimal Milch, bitte.
trinkst/trinke → trinken	_____	Trinkst du Milch? Ich trinke Milch.
gern	_____	Ich trinke gern Milch.
manchmal	_____	Ich trinke manchmal Milch.
hörst/höre → hören	_____	Was hörst du? – Ich höre Musik.
der Sport, (nur Sg.)	_____	
machst/mache → machen	_____	Machst du Sport? – Ja, ich mache Judo.
das Klavier, -e	_____	
das Theater, -	_____	
der Fußball, ̈e	_____	
spiele → spielen	_____	Ich spiele gern Fußball. Und auch Klavier.
schön	_____	Oh, Klavier, schön!
Ja, klar!	_____	Machst du Sport? – Ja klar!
sehr	_____	Ich mache sehr gern Sport.
viel	_____	Du machst aber viel.
sag → sagen	_____	Sag mal!
Wie alt bist du?	_____	Wie alt bist du? – Ich bin 14.
das Jahr, -e	_____	Ich bin 14 Jahre alt.
das Tennis	_____	Ich spiele gern Tennis.
lieben	_____	Ich liebe dich.
nach Hause gehen	_____	Ich gehe jetzt nach Hause.
Auf Wiedersehen!	_____	Tschüss und auf Wiedersehen!
Tschüss!	_____	Tschüss und auf Wiedersehen!
Wie bitte?	_____	Servus. – Wie bitte?
sprichst → sprechen	_____	Sprichst du Deutsch?
das Deutsch, (nur Sg.)	_____	Du sprichst Deutsch, oder?

Die Familie

das Kind

_____

der Bruder/die Schwester

_____

(die) Geschwister

_____

der Onkel/die Tante

_____

der Vater/die Mutter

_____

(die) Eltern

_____

der Großvater/die Großmutter

_____

(die) Großeltern

_____

mitmachen

_____ Ich möchte mitmachen.

Zahlen von 20 bis 1000

20 zwanzig	21 einundzwanzig	22 zweiundzwanzig	23 dreiundzwanzig
24 vierundzwanzig	25 fünfundzwanzig	26 sechsundzwanzig	27 siebenundzwanzig
28 achtundzwanzig	29 neunundzwanzig	30 dreißig	40 vierzig

50 fünfzig	**60** sechzig	**70** siebzig	**80** achtzig
90 neunzig	**100** (ein)hundert	**200** zweihundert	**1000** (ein)tausend

Lektion 5   Familie Hofmann möchte mitmachen

ist → sein	_____	Wie alt ist Tante Anne?
weißt → wissen	_____	Das weißt du doch.
sie (Sg.)	_____	Das ist Tante Anne. Sie ist 38.
er	_____	Das ist Onkel Jörg. Er ist 41.
sind → sein	_____	Das sind Paula und Pia.
sie (Pl.)	_____	Sie sind 14.
fragen	_____	↔ antworten
antworten	_____	↔ fragen
die Nummer, -n	_____	
die Freundin, -nen	_____	Das ist meine Freundin Sara.
der Freund, -e	_____	Das ist mein Freund Paul.
gerade	_____	Was machst du gerade?
kommen	_____	Kommst du?
sofort	_____	Ich komme sofort.
gleich	_____	Ich bin gleich da.
fertig	_____	Ich bin gleich fertig.
dein/deine	_____	Wie alt ist dein Vater? Und deine Tante?
das Fernsehen, (nur Sg.)	_____	Kennst du das Familien-Quiz im Fernsehen?
nicht	_____	Ich spiele nicht so gern.
Wie geht's?	_____	Hallo, Sara. Wie geht's?
Gute Nacht!	_____	Gute Nacht, Frau König.

Lektion 6   Familie Hofmann im Fernsehen

der Vorname, -n	_____	Vorname: Linus
das Alter, (nur Sg.)	_____	Alter: 45 Jahre
der Beruf, -e	_____	Beruf: Ingenieur

das Hobby, -s _____ Hobbys: Musik hören,
Klavier spielen

der Ingenieur, -e _____

der Architekt, -en _____

der Techniker, - _____

der Künstler, - _____

der Schüler, - _____

die Schülerin, -nen _____

Hobbys

im Garten arbeiten _____ malen _____

telefonieren _____ schreiben _____

lesen _____ reparieren _____

lernen _____ Er lernt Italienisch.

wo _____ Wo ist Familie Richter?

wohnen _____ Wo wohnt Familie Richter?

in _____ Familie Richter wohnt
in Österreich.

woher _____ Woher ist Familie Egli?

kommen (aus) _____ Woher kommt Familie Egli?

aus _____ Familie Egli kommt aus
der Schweiz.

Lektion 7 Unterricht

die Angst, ⸚e _____

die Schule, -en _____

der Unterricht, (nur Sg.) _____

Schulfächer

Deutsch

Mathematik

Englisch

Physik

Chemie

Geschichte

Geografie

Biologie

Kunst(erziehung)

der Stundenplan, ⁼e _____

Wochentage

	Montag	Dienstag	Mittwoch	Donnerstag	Freitag	Samstag	Sonntag
1.	Mathe	Englisch	Politik	Kunst	Sport		

_____ _____ _____ _____

_____ _____ _____

frei _____ Samstag und Sonntag frei.

heute _____ So ein Tag heute!

die Stunde, -n _____

1. erste _____ in der ersten Stunde

2. zweite _____ in der zweiten Stunde

3. dritte _____ in der dritten Stunde

4. vierte _____ in der vierten Stunde

5. fünfte _____ in der fünften Stunde

6. sechste _____ in der sechsten Stunde

das Lieblingsfach, ⁼er _____ Kunst ist mein Lieblingsfach.

die Klasse, -n _____ Was hat die Klasse 7b?

haben _____ Was hat die Klasse heute?

am _____ Was hat die Klasse am Montag?

wann _____ Wann hat die Klasse das?

wie viel/e	_____	Wie viele Stunden Sport hast du?
nur	_____	Ich habe nur vier Stunden Mathe.

Lektion 8   In der neuen Schule

hier	_____	Ist hier Klasse 7b?
der Quatsch, (nur Sg.)	_____	Quatsch!
wir	_____	Was machen wir gern?
ihr	_____	Ihr lest gern.
lachen	_____	Die Schüler lachen.
alle	_____	Alle lachen.

Lektion 9   Meine Schulsachen

Schulsachen

der Bleistift, -e	der Radiergummi, -s
das Heft, -e	der Block, ⁻e
die Tasche, -n	der Rucksack, ⁻e
der Farbstift, -e	die Tafel, -n
der Kuli, -s	die Schere, -n
das Buch, ⁻er	das Blatt, ⁻er
das Lineal, -e	der Turnschuh, -e

ein/e	_____	Das sind ein Heft, ein Bleistift und eine Schere.
es	_____	Das ist mein Heft. Es ist neu.
neu	_____	↔ alt
nett	_____	Du bist nett.
immer	_____	Immer das Gleiche!

kein/e	_____	Das ist kein Füller.
		Das ist ein Kuli.
die Hausaufgabe, -n	_____	Wo ist deine Hausaufgabe?
leid tun	_____	Tut mir leid.
die Entschuldigung, -en	_____	Ach so, Entschuldigung.
möcht-	_____	Wir möchten Tennis spielen.
mitkommen	_____	Möchtest du mitkommen?
die Lust, (nur Sg.)	_____	Hast du Lust?
gehen	_____	Möchtest du gehen?
schlafen	_____	Ich möchte schlafen.
essen	_____	Ich möchte essen.
verstehen	_____	Das verstehe ich.
müde	_____	Maria ist müde.
die Grundschule, -n	_____	die 3. Klasse Grundschule
das Gymnasium, Gymnasien	_____	die 7. Klasse Gymnasium
die Note (Schulnote), -en	_____	Hier gibt es sechs Noten.
schlecht	_____	↔ gut

Lektion 10 Was passiert im Schuljahr?

Besondere Tage

das Weihnachten
_____

das Silvester
_____

das Ostern
_____

der Karneval
_____

der Ausflug, ⸚e
_____

die Ferien, (nur Pl.)
_____

das Sportfest, -e
_____

der Geburtstag, -e
_____

Monate

Januar	Februar	März	April
Mai	Juni	Juli	August
September	Oktober	November	Dezember

7. siebte	_____	Heute ist der siebte Mai.
20. zwanzigste	_____	der zwanzigste Mai
30. dreißigste	_____	der dreißigste Juni
wann	_____	Wann hast du Geburtstag?
am	_____	Am elften August.

Uhrzeit

ein Uhr	_____	Zehn vor eins	_____
Viertel vor elf	_____	Zehn nach eins	_____
Viertel nach neun	_____	Halb zehn	_____

Wie spät ist es?	_____	Wie spät ist es, Frau Huber?
um	_____	Wann fahren wir? – Um 10 Uhr.
später	_____	↔ früher
früher	_____	↔ später
das Spiel, -e	_____	Wir machen ein Spiel.
dürfen	_____	Wir dürfen Fußball spielen.
allein	_____	Wir dürfen allein gehen.
wandern	_____	Die Klasse wandert.
lang	_____	Wandern wir wirklich so lang?
die Minute, -n	_____	Wir wandern 75 Minuten.
das Handy, -s	_____	Handy!
mitnehmen	_____	Handy mitnehmen!
morgen	_____	Morgen haben wir Ausflug.

Natur und Umgebung

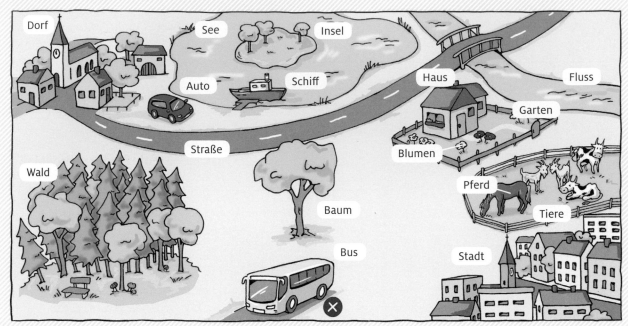

der Wald, ⸚er	der Bus, -se	das Pferd, -e	die Blume, -n
der Baum, ⸚e	der Garten, ⸚en	das Haus, ⸚er	die Straße, -en
der Fluss, ⸚e	das Dorf, ⸚er	das Schiff, -e	die Insel, -n
der See, -n	das Tier, -e	das Auto, -s	die Stadt, ⸚e

die Flasche, -n _____

das Foto, -s _____ Macht Fotos!

Farben

blau	grün	rot	gelb	schwarz
weiß	braun	grau	lila	bunt

der		Hier ist der Wald.
das	_____	Hier ist das Dorf.
die	_____	Hier ist die Straße.
aufpassen	_____	Passt auf!
ruhig	_____	Seid ruhig!
geben	_____	Gib mir die Karte! Gib her!
nehmen	_____	Da, nimm die Karte!
sehen	_____	Seht mal! Da ist eine Straße.
warten	_____	Wartet mal!
weg (sein)	_____	Leo ist weg!
wohin	_____	Wohin gehen wir?
nach links	← _____	
nach rechts	→ _____	
geradeaus	↑ _____	
schnell	_____	Ottos Gruppe ist zu schnell.

Lektion 12   Nach dem Spiel

Essen

der Salat, -e

das Brot, -e

die Kartoffel, -n

der Käse, -

das Brötchen, -

die Banane, -n

der Fisch, -e

das Würstchen, -

die Wurst, ¨e

der Apfel, ¨

das Obst, (nur Sg.)

es gibt _____ Es gibt Salat und Würstchen.

entschuldigen (sich) _____ Ach, entschuldige bitte!

Quellenverzeichnis